LES POISONS DE LA COURONNE

Maurice Druon est né à Paris en 1918. Etudes classiques. Lauréat du Concours général. Ecole des Sciences Politiques. Ecole de cavalerie de Saumur (1940).
Evadé de France pour rejoindre les Forces Françaises Libres, à Londres. Ecrit Le Chant des Partisans, *avec Joseph Kessel (1943). Correspondant de guerre. Prix Goncourt en 1948 pour son roman* Les Grandes Familles. *Reçoit en 1966 le Prix de Monaco pour l'ensemble de son œuvre de romancier, d'essayiste et de dramaturge. Elu la même année à l'Académie française.*

Comment voyageait-on par terre et par mer au Moyen Age? Comment les malades étaient-ils soignés dans les hôpitaux? Comment s'effectuait la mobilisation d'une armée et sa marche en campagne? Comment se déroulait un mariage royal? Comment les magiciennes préparaient-elles philtres et poisons?

Plus encore que dans les deux volumes précédents, l'histoire des mœurs et l'histoire des princes sont intimement mêlées dans ce troisième volume des *Rois Maudits*.

D'un règne, celui de Louis X Hutin, dont généralement on ne fait guère état parce qu'il ne dura que dix-huit mois, mais dont les conséquences devaient être capitales pour la monarchie française, *Les Poisons de la Couronne* ressuscitent, et presque jour par jour, les conflits, les intrigues, les haines et les crimes. L'auteur a en quelque sorte retissé les fils des destins : destin malheureux de la belle Clémence de Hongrie arrivée en France pour y être reine et qui bientôt y restera veuve; destins contrariés du jeune Lombard Guccio Baglioni et de Marie de Cressay, dont les amours se heurtent aux interdits sociaux; destins violents de la comtesse Mahaut d'Artois et de son neveu Robert opposés par une inexpiable rivalité; destin tragique de Louis X qui, ayant en quelques mois compromis l'œuvre du Roi de fer, le rejoint bientôt au tombeau. Lorsqu'il meurt empoisonné, en juin 1316, c'est la première fois depuis plus de trois siècles qu'un roi de France décède sans laisser un héritier mâle.

ŒUVRES DE MAURICE DRUON

MAURICE DRUON

de l'Académie française

LES ROIS MAUDITS

III

Les Poisons de la Couronne

ROMAN HISTORIQUE
Nouvelle Édition

LE LIVRE DE POCHE

« *L'histoire est toujours une science conjecturale.* »

Daniel-Rops

Je tiens a renouveler ma vive reconnaissance a mes collaborateurs Pierre de Lacretelle, Georges Kessel, Christiane Grémillon, Madeleine Marignac, Edmonde Charles-Roux, pour l'assistance précieuse qu'ils m'ont donnée dans la composition de cet ouvrage ; je veux également remercier les Services de la Bibliothèque nationale et des Archives nationales pour l'aide indispensable apportée a nos recherches.

M. D.

SOMMAIRE

Deuxième partie

APRES LA FLANDRE, L'ARTOIS

Troisième partie

LE TEMPS DE LA COMETE

PROLOGUE

PHILIPPE LE BEL *avait laissé la France en situation de première nation du monde occidental. Sans recourir aux guerres de conquête, mais par négociations, mariages et transactions, il avait largement accru le territoire, en même temps qu'il s'était constamment appliqué à centraliser et renforcer l'Etat. Toutefois les institutions administratives, financières, militaires, politiques, dont il avait voulu doter le royaume et qui, relativement à l'époque, apparaissaient souvent comme révolutionnaires, n'étaient pas suffisamment ancrées dans les mœurs et l'Histoire pour pouvoir se perpétuer sans l'intervention personnelle d'un monarque fort.*

Six mois après le décès du Roi de fer, la plupart de ses réformes semblaient déjà vouées à la disparition, et ses efforts à l'oubli.

Son fils et successeur, Louis X Hutin, brouillon, médiocre, incompétent, et dès le premier jour de règne dépassé par sa tâche, s'était facilement déchargé des soins du pouvoir sur son oncle Charles de Valois, bon capitaine, mais détestable

gouvernant, dont les turbulentes ambitions, longtemps tournées vers la vaine recherche d'un trône,
trouvaient enfin à s'employer.

Les ministres bourgeois, qui avaient fait la force
du règne précédent, venaient d'être emprisonnés,
et le corps du plus remarquable d'entre eux,
Enguerrand de Marigny, ancien recteur général
du royaume, pourrissait aux fourches du gibet
de Montfaucon.

La réaction triomphait ; les ligues baronniales
semaient le désordre dans les provinces et tenaient
en échec l'autorité royale. Les grands seigneurs,
Charles de Valois le premier, fabriquaient leur
propre monnaie qu'ils faisaient circuler pour leur
profit personnel. L'administration, cessant d'être
contrôlée, pillait pour son compte, et le Trésor
était à sec.

Une récolte désastreuse, suivie d'un hiver excep-
tionnellement rigoureux, avait provoqué la famine.
La mortalité croissait.

Pendant ce temps, Louis Hutin se préoccupait
surtout de réparer son honneur conjugal et
d'effacer, s'il était possible, le scandale de la tour
de Nesle.

Faute d'un pape, que le conclave ne parvenait
pas à élire, et qui aurait pu prononcer l'annulation
du lien, le jeune roi de France, afin de pouvoir
se remarier, avait fait étrangler sa femme, Marguerite de Bourgogne, dans la prison de Château-
Gaillard.

Il devenait libre ainsi d'épouser la belle princesse d'Anjou-Sicile que Charles de Valois lui
avait choisie, et avec laquelle il imaginait partager
les félicités d'un long règne.

PREMIÈRE PARTIE

LA FRANCE
ATTEND UNE REINE

I

ADIEU A NAPLES

DEBOUT, dans sa robe toute blanche, à l'une des fenêtres de l'énorme Château-Neuf, d'où la vue dominait le port et la baie de Naples, la vieille reine mère Marie de Hongrie regardait un vaisseau en train d'appareiller. Essuyant d'un doigt rêche le pleur qui mouillait sa paupière sans cils, elle murmura :

« Allons, maintenant je peux mourir. »

Elle avait bien rempli sa vie. Fille de roi, femme de roi, mère et grand-mère de rois, elle avait affermi sa descendance sur les trônes d'Europe méridionale et centrale. Tous ses fils survivants étaient rois, ou ducs souverains. Deux de ses filles étaient reines. Sa fécondité avait été un instrument de puissance pour les Anjou-Sicile, cette branche cadette de l'arbre capétien, et qui prenait tournure de devenir aussi grosse que le tronc.

Si Marie de Hongrie avait déjà perdu six de ses enfants, au moins avait-elle la consolation que l'un d'eux, entré dans les ordres, fût en voie d'être canonisé. Elle serait la mère d'un saint. Comme si les royaumes de ce monde étaient devenus trop étroits pour cette tentaculaire famille, la vieille reine avait poussé sa progéniture jusque dans le royaume des cieux.

A soixante-dix ans passés, il ne lui restait plus qu'à assurer l'avenir d'une de ses petites-filles, Clémence, l'orpheline. C'était désormais chose faite.

Le gros vaisseau qui, dans le port, levait l'ancre, ce 1er juin 1315, par un soleil éclatant, représentait tout à la fois, aux yeux de la reine mère de Naples, le triomphe de sa politique et la mélancolie des choses achevées.

Car pour sa bien-aimée Clémence, pour cette princesse de vingt-deux ans sans aucune dot territoriale et riche seulement de sa réputation de beauté et de vertu, elle avait négocié la plus haute alliance, le plus prestigieux mariage. Clémence allait être reine de France. Ainsi, la moins pourvue de toutes les princesses d'Anjou recevait le plus puissant des royaumes et devenait suzeraine de toute sa parenté. C'était là comme une illustration des enseignements évangéliques.

Certes, on disait que le jeune roi de France, Louis le Dixième, n'était pas trop avenant de visage, ni des mieux doués quant au caractère.

« Eh quoi ! mon époux, que Dieu l'absolve, était boiteux et je ne m'en suis pas mal accommodée, pensait Marie de Hongrie. D'abord, on n'est pas reine pour être heureuse. »

On s'étonnait également, à mots couverts, que

la reine Marguerite fût morte dans sa prison, avec tant d'à-propos, alors que le roi Louis se trouvait en peine à obtenir l'annulation du mariage. Mais fallait-il ouvrir l'oreille à toutes les médisances ? Marie de Hongrie était peu portée à la pitié envers une femme, une reine surtout, qui avait trahi les engagements conjugaux. Elle ne voyait rien de surprenant à ce que le châtiment de Dieu se fût naturellement abattu sur la scandaleuse Marguerite.

« Ma belle Clémence remettra la vertu en honneur à la cour de Paris », se dit-elle encore.

En guise d'adieu, elle fit, de sa main grise, un signe de croix à travers la lumière ; puis, le visage secoué de tics sous son voile immaculé et sa mince couronne, le pas raide, mais encore décidé, elle alla s'enfermer dans sa chapelle pour y remercier le Ciel de l'avoir aidée à accomplir sa longue mission royale, et pour offrir au Seigneur la grande souffrance des femmes qui ont fini leur temps.

Cependant, le *San Giovanni*, énorme nef ronde, à la coque blanche et or, arborant aux cornes de sa mâture les flammes d'Anjou, de Hongrie et de France, commençait à manœuvrer pour s'éloigner du bord.

Le capitaine et son équipage avaient juré sur l'Evangile de défendre leurs passagers contre la tempête, les pirates barbaresques et tous les périls de la navigation. La statue de saint Jean Baptiste, protecteur du navire, étincelait à la proue sous les rayons du soleil. Dans les châtelets à créneaux, à mi-hauteur des mâts, cent hommes d'armes, guetteurs, archers, lanceurs de pierres, se tenaient prêts à repousser les attaques des écumeurs de mer s'il en survenait. Les cales regorgeaient de vivres ; les amphores d'huile et de vin étaient plantées dans le sable du lest, où l'on avait également enfoncé des centaines d'œufs pour qu'ils se conservassent frais. Les grands coffres bardés de fer qui contenaient les robes de soie, les bijoux, les objets d'orfèvrerie et tous les cadeaux de noce de la princesse s'empilaient contre les parois de l'escandolat, vaste chambre ménagée entre le maître-mât et la poupe, et où dormiraient, sur des tapis d'Orient, les gentilshommes et chevaliers d'escorte.

Les Napolitains s'étaient massés sur les quais pour voir partir ce qui leur semblait être le vaisseau du bonheur. Des femmes élevaient leurs enfants à bout de bras. Dans cette foule, bruyante et familière ainsi que le peuple de Naples le fut toujours, on entendait crier :

« *Guarda com' è bella !*
— *Addio Donna Clemenza ! Siate felice !*
— *Che Dio la benedica la nostra principessa !*
— *Non Vi dimenticate di noi * ! »*

Car Donna Clemenza, pour les Napolitains, était environnée d'une sorte de légende. On se souvenait de son père, le beau Carlo-Martello, héritier de Naples et de Hongrie, ami des poètes et en particulier de Dante, prince érudit, musicien,

---

* « Regarde comme elle est belle !
— Adieu Madame Clémence, soyez heureuse !
— Que Dieu bénisse notre princesse !
— Ne nous oubliez pas ! »

excellant aux armes, qui parcourait la péninsule, suivi de deux cents gentilshommes français, provençaux et italiens, tous vêtus comme lui par moitié d'écarlate et de vert sombre, et montés sur des chevaux harnachés d'argent. On le disait fils de Vénus, car il possédait « les cinq dons qui invitent à l'amour, et qui sont la santé, la beauté, l'opulence, le loisir, la jeunesse ». Il avait été foudroyé par la peste, à vingt-quatre ans ; sa femme, une Habsbourg, était morte en apprenant la nouvelle, fournissant un mythe tragique à l'imagination populaire.

Naples avait reporté sa tendresse sur Clémence qui, en grandissant, reproduisait les traits de son père. Cette orpheline royale était bénie des quartiers pauvres où elle allait elle-même distribuer l'aumône. Les peintres de l'Ecole giottesque se plaisaient à reproduire en leurs fresques son visage clair, ses cheveux d'or, ses longues mains effilées.

Du haut de la plate-forme crénelée qui formait le toit du château d'arrière, à trente pieds audessus des eaux, la fiancée du roi de France jetait un dernier regard sur le paysage de son enfance, sur le vieux château de l'Œuf où elle était née, sur le Château-Neuf, le Maschio Angioino, où elle avait grandi, sur cette foule grouillante qui lui lançait des baisers, sur toute cette ville éclatante, poussiéreuse et sublime.

« Merci, Madame ma grand-mère », pensait-elle, les yeux tournés vers la fenêtre où venait de disparaître la silhouette de Marie de Hongrie. « Je ne vous reverrai sans doute jamais. Merci d'avoir tant fait pour moi. Je me désolais, à vingt-deux ans atteints, d'être encore sans mari ; je n'attendais plus d'en trouver un, et m'apprêtais à entrer au couvent. C'était vous qui aviez raison de m'imposer patience. Voici que je vais être reine de ce vaste royaume qu'arrosent quatre fleuves et que baignent trois mers. Mon cousin le roi d'Angleterre, ma tante de Majorque, mon parent de Bohême, ma sœur la dauphine de Vienne, et même mon oncle Robert, qui règne ici et dont jusqu'à ce jour je n'étais que la sujette, vont devenir mes vassaux pour les terres qu'ils possèdent en France, ou les liens qu'ils ont avec cette couronne. Mais n'est-ce pas trop lourd pour moi ? »

Elle éprouvait à la fois l'exaltation de la joie, l'angoisse de l'inconnu, et le trouble qui saisit l'âme aux changements irrévocables de la destinée, même lorsqu'ils dépassent les rêves.

« Votre peuple montre qu'il vous aime fort, Madame, dit un gros homme à côté d'elle. Mais je gage que le peuple de France va vite vous aimer autant, et qu'à seulement vous voir, il va vous faire un accueil tout pareil à cet adieu.

— Ah ! vous serez toujours mon ami, messire de Bouville », répondit Clémence avec chaleur.

Elle avait besoin de répandre sa félicité autour d'elle et d'en remercier chacun.

Le comte de Bouville, envoyé du roi Louis X, et qui avait conduit les négociations, était revenu à Naples voici deux semaines pour chercher la princesse et l'accompagner en France.

« Et vous aussi, signor Baglioni, vous êtes bien mon ami », ajouta-t-elle en se tournant vers le jeune Toscan qui servait de secrétaire à Bouville et tenait les écus de l'expédition, prêtés par les banques italiennes.

Le jeune homme s'inclina sous le compliment.

Certes, tout le monde était heureux, ce matin-là. Hugues de Bouville, suant un peu sous la chaleur de juin et rejetant derrière les oreilles ses mèches noires et blanches, se sentait tout aise et tout fier d'avoir rempli sa mission et d'amener à son roi une si splendide épouse.

Guccio Baglioni rêvait à la belle Marie de Cressay, sa secrète fiancée, pour laquelle il rapportait un plein coffre de soieries et de parures brodées. Il n'était pas certain d'avoir eu raison de demander à son oncle Tolomei la direction du comptoir de banque de Neauphle-le-Vieux. Devait-il se contenter d'un si petit établissement ?

« Bah ! ce n'est qu'un début ; je pourrai vite changer de position, et d'ailleurs, je passerai le plus clair de mon temps à Paris. » Assuré de la protection de la nouvelle souveraine, il n'envisageait pas de limites à son ascension. Il voyait déjà Marie dame de parage de la reine et s'imaginait lui-même, dans peu de mois, recevant une charge dans la maison royale... Le poing sur la dague, le menton levé, Guccio regardait Naples se déployer devant lui dans le soleil.

Dix galères firent escorte au navire jusqu'à la haute mer ; les Napolitains virent s'éloigner, diminuer, ce château fort tout blanc qui avançait sur les eaux.

II

LA TEMPÊTE

A QUELQUES jours de là, le *San Giovanni* n'était plus qu'une carcasse gémissante et à demi démâtée, fuyant sous les rafales, roulant dans des vagues énormes, et que son capitaine essayait de maintenir à flot dans la direction supposée des côtes de France.

Le navire avait rencontré, à hauteur de la Corse, une de ces tempêtes, violentes autant que soudaines, qui ravagent parfois la Méditerranée. Il avait perdu six ancres en cherchant à mouiller contre le vent, le long des rivages de l'île d'Elbe, et peu s'en était fallu qu'il n'eût été jeté aux rochers. Et puis la course avait repris, entre des murailles d'eau. Un jour, une nuit, un jour encore de cette navigation en enfer. Plusieurs matelots avaient été blessés en amenant ce qui restait de toile. Les châtelets de guet s'étaient effondrés avec tout le chargement de pierres destiné aux pirates barbaresques. On avait dû ouvrir à coups de hache l'escandolat pour délivrer les chevaliers napolitains emprisonnés par la chute du grand mât. Tous les coffres à robes et à bijoux, toute l'orfèvrerie de la princesse, tous ses présents de noce avaient été balayés par la mer. L'infirmerie du barbier-chirurgien, dans le château d'avant, regorgeait de malades et d'estropiés. L'aumônier ne pouvait même plus célébrer sa « messe aride », car ciboire, calice, livres et ornements avaient été emportés par une lame * [1]. Agrippé à un cordage, le crucifix en main, il écoutait des confessions hâtives et distribuait les absolutions.

L'aiguille aimantée ne servait plus à rien, car elle était ballottée en tous sens sur le peu d'eau qui restait dans le vase où elle flottait. Le capitaine, un Latin véhément, avait déchiré sa robe jusqu'au ventre, en signe de désolation, et on l'entendait hurler, entre deux commandements : « Seigneur, aide-moi ! » Il n'en semblait pas moins connaître son affaire et cherchait à se tirer au mieux du pire ; il avait fait sortir les rames, si longues et si lourdes qu'il fallait sept hommes cramponnés à chacune pour les manœuvrer, et appelé douze matelots auprès de lui pour peser, six de chaque côté, sur la barre de gouvernail. Le comte de Bouville pourtant s'en était pris à lui, dans un mouvement d'humeur, au début de la bourrasque.

---

* Les numéros dans le texte renvoient aux « Notes historiques », en fin de volume, où le lecteur trouvera également le « Répertoire biographique » des personnages.

« Eh ! maître marinier, est-ce ainsi qu'on secoue la princesse promise au roi mon maître ? Votre néf est mal chargée, pour que nous roulions autant, et vous ne savez point naviguer ! Si vous ne vous hâtez de faire mieux, je vous traduirai à l'arrivée devant les prud'hommes du roi de France, et vous irez apprendre la mer sur un banc de galère... »

Mais cette colère était vite tombée. L'ancien grand chambellan avait soudain vomi sur les tapis d'Orient, imité en cela d'ailleurs par la presque totalité de l'escorte. La face blême, et trempé d'embruns des cheveux jusqu'aux chausses, le gros homme, prêt à rendre son âme chaque fois qu'une nouvelle vague soulevait le navire, gémissait entre deux hoquets qu'il ne reverrait jamais sa famille et qu'il n'avait point assez péché dans sa vie pour souffrir autant.

Guccio, en revanche, se montrait d'une étonnante vaillance. La tête claire, le pied agile, il avait pris soin de faire mieux arrimer ses coffres, particulièrement celui aux écus ; dans les instants de relative accalmie, il courait quérir un peu d'eau pour la princesse, ou bien répandait autour d'elle des essences, afin de lui dissimuler la puanteur qu'exhalaient les indispositions de ses compagnons de voyage.

Il est une sorte d'hommes, de jeunes hommes surtout, qui se conduisent instinctivement de manière à justifier ce qu'on attend d'eux. Les regarde-t-on d'un œil méprisant ? Il y a toutes chances qu'ils se comportent de façon méprisable. Sentent-ils au contraire l'estime et la confiance ? Ils se surpassent et, bien que crevant de peur autant que quiconque, agissent en héros. Guccio Baglioni était de cette race-là. Parce que Donna Clemenza avait une manière de traiter les gens, pauvres ou riches, grands seigneurs ou manants, qui donnait de l'honneur à chacun, parce qu'elle témoignait, en plus, une spéciale courtoisie à ce jeune homme qui avait été un peu le messager de son bonheur, Guccio, auprès d'elle, se sentait devenir chevalier et se comportait plus fièrement qu'aucun des gentilshommes.

Toscan et donc capable, pour briller aux yeux d'une femme, de toutes les prouesses, il n'en demeurait pas moins banquier dans l'âme et le sang, et il jouait sur le destin comme on joue sur les changes.

« Le péril est l'occasion parfaite de devenir l'intime des grands, se disait-il. Si nous devons tous affonder et périr, ce n'est point de s'écrouler en lamentations, comme le fait le cher Bouville, qui changera notre sort. Mais, si nous en réchappons, alors j'aurai conquis l'estime de la reine de France. » Pouvoir penser de la sorte en un pareil moment, était déjà le signe d'un beau courage. Mais Guccio, cet été-là, se sentait invincible ; il aimait et se savait aimé.

Il assurait donc la princesse, contre toute évidence, que le temps était en train de se lever, affirmait que le bateau était solide au moment qu'il craquait le plus fort, et racontait pour comparaison la tempête qu'il avait essuyée l'an précédent, en traversant la Manche, et dont il était sorti indemne.

« J'allais porter à la reine Isabelle un message de Mgr d'Artois... »

La princesse Clémence, elle aussi, se conduisait de façon exemplaire. Réfugiée dans le paradis, grande chambre aménagée pour les hôtes royaux dans le château d'arrière, elle exhortait au calme ses dames suivantes qui, pareilles à un troupeau de brebis apeurées, bêlaient et se cognaient aux parois à chaque coup de mer. Clémence n'eut pas un mot de regret lorsqu'on lui annonça que ses coffres à robes et à bijoux étaient passés par-dessus bord.

« J'aurais bien donné le double, dit-elle seulement, pour que nos braves mariniers n'eussent point été assommés par le mât. »

Elle était moins effrayée de la tempête que frappée par le signe qu'elle y voyait.

« Voilà ; ce mariage était trop beau pour moi, pensait-elle ; j'en ai conçu trop de joie et j'ai péché par orgueil ; Dieu va me naufrager parce que je ne méritais pas d'être reine. »

Le cinquième matin de cette affreuse traversée, la princesse, alors que le navire se trouvait dans un creux de vent mais sans que la mer semblât vouloir s'apaiser pour autant, aperçut le gros Bouville, pieds nus, en simple cotte et tout échevelé, qui se tenait à genoux, les bras en croix, sur le pont du vaisseau.

« Que faites-vous donc là, messire ? lui cria-t-elle.

— Je fais comme Mgr saint Louis, Madame, lorsqu'il faillit être noyé devant Chypre. Il promit de porter une nef de cinq marcs d'argent [2] à saint Nicolas de Varengeville, si Dieu voulait le ramener en France. C'est messire de Joinville qui me l'a conté.

— Je promets d'en offrir autant à saint Jean-Baptiste, dont notre nef porte le nom, dit alors Clémence. Et si nous réchappons, et que Dieu m'accorde la grâce d'avoir un fils, je fais vœu d'appeler ce fils Jean.

— Mais nos rois ne se nomment jamais Jean, Madame.

— Dieu en décidera. »

Elle s'agenouilla aussitôt et se mit en prières.

Vers l'heure de midi, la violence de la mer commença de décroître, et chacun reprit espoir. Puis le soleil déchira les nuages ; la terre était en vue. Le capitaine reconnut avec joie les côtes de Provence, et, plus précisément, à mesure qu'on approchait, les calanques de Cassis. Il n'était pas médiocrement fier d'avoir maintenu son navire en direction.

« Vous allez nous faire aborder au plus vite à cette côte, je pense, maître marinier, dit Bouville.

— C'est à Marseille que je dois vous conduire, messire, répondit le capitaine, et nous n'en sommes guère éloignés. De toute façon, je n'ai plus assez d'ancres pour mouiller auprès de ces rochers. »

Un peu avant le soir, le *San Giovanni*, mû par ses rames, se présenta devant le port de Marseille. Une embarcation fut mise à la mer pour prévenir les autorités communales et faire abaisser la chaîne qui fermait l'entrée du port, entre la tour de Malbert et le fort Saint-Nicolas. Aussitôt, gouverneur, échevins et prud'hommes accoururent, ployés sous un fort mistral, pour recevoir la nièce de leur suzerain, car Marseille était alors possession des Angevins de Naples.

Sur le quai, les ouvriers des salines, les pêcheurs, les fabricants de rames et d'agrès, les calfats, les changeurs de monnaie, les marchands du quartier de la Juiverie, les commis des banques génoises et siennoises, contemplaient, stupéfaits, ce gros vaisseau sans voiles, démâté, rompu, dont les matelots dansaient et s'embrassaient sur le pont en criant au miracle.

Les chevaliers napolitains et les dames d'escorte tâchaient à mettre de l'ordre dans leur toilette.

Le comte de Bouville, qui avait maigri de plusieurs livres et flottait dans ses vêtements, proclamait à la ronde l'efficacité de son vœu et semblait considérer que chacun devait la vie à sa pieuse initiative.

« Messire Hugues, lui dit Guccio avec une pointe de malice, il n'est pas de tempête, à ce que j'ai ouï dire, où quelqu'un ne prononce un vœu semblable au vôtre. Comment expliquez-vous, alors, que tant de navires viennent quand même à couler ?

— C'est qu'il se trouve sans doute à leur bord quelque mécréant de votre espèce », répliqua en souriant l'ancien chambellan.

Guccio fut le premier à sauter à terre. Il s'envola de l'échelle, léger, pour prouver sa vaillance. Et aussitôt, on l'entendit hurler. Après plusieurs jours passés sur un plancher mouvant, il s'était mal reçu au sol ; le pied lui avait glissé sur la pierre visqueuse, et il était tombé à l'eau. Il s'en fallut de peu qu'il ne fût broyé entre le quai et la coque du bateau. L'eau devint rouge en un instant autour de lui ; dans sa chute, il s'était déchiré à un crochet de fer. On le repêcha à demi évanoui, sanglant, et la hanche ouverte jusqu'à l'os. Il fut aussitôt transporté à l'Hôtel-Dieu.

L'HOTEL-DIEU

La grand-salle des hommes avait les dimensions
d'une nef de cathédrale. Au fond se dressait un
autel où l'on célébrait chaque jour quatre messes,
et les vêpres et le salut. Les malades privilégiés
occupaient des sortes d'alvéoles ménagés dans les
murs et dits « chambres de recommandation » ;
les autres étaient couchés à deux par lit, tête-
bêche. Des frères hospitaliers, en longue robe
brune, passaient sans cesse entre les travées de
lits, tantôt pour aller chanter les offices, tantôt
pour donner les soins ou distribuer les repas. Les
exercices du culte étaient intimement mêlés à la
thérapeutique ; les râles de douleur répondaient
aux versets des psaumes ; le parfum de l'encens
ne parvenait pas à dominer l'atroce odeur de fièvre et de gangrène ; la mort était offerte en spectacle public. Des inscriptions, courant autour des

murs en hautes lettres ornées, invitaient à se préparer au trépas plutôt qu'à la guérison [3].

Depuis près de trois semaines, Guccio était là, dans une alcôve, haletant sous l'accablante chaleur de l'été qui rendait plus épuisante la souffrance et plus sinistre le séjour. Il regardait avec tristesse les rayons de soleil qui tombaient des fenêtres haut percées, et projetaient de larges taches d'or sur cette assemblée de la désolation. Il ne pouvait faire le moindre mouvement sans gémir ; les baumes et les élixirs des frères hospitaliers le brûlaient comme flammes, et à chaque pansement il endurait une torture. Nul ne semblait en mesure de lui dire si sa blessure avait endommagé l'os ; mais il sentait bien que le mal n'était pas seulement de chair, car il manquait de s'évanouir lorsqu'on lui palpait la hanche ou les reins.

Les mires et les chirurgiens lui affirmaient qu'il ne courait aucun péril mortel, qu'à son âge on guérissait de tout, et que Dieu accomplissait en son hôtel bien d'autres miracles, ainsi qu'Il l'avait prouvé sur ce calfat éventré qui s'était un jour présenté, retenant ses tripes avec les mains, et qu'on avait vu sortir, après quelque temps, aussi fort et gai que dans le passé. Guccio ne se désespérait pas moins. Trois semaines déjà... et rien ne lui indiquait qu'il n'en faudrait pas encore trois autres avant qu'il pût se lever, ou bien trois mois, ni qu'il ne resterait pas à jamais impotent.

Par moments, il s'imaginait condamné à finir ses jours, tordu et béquillard, derrière un comptoir de changeur, à Marseille. Pouvait-il songer à voyager, infirme, et moins encore à se marier ?... Si même il quittait vivant cet affreux hôpital !

Chaque matin, il voyait emporter un ou deux cadavres qui avaient déjà pris une mauvaise teinte
noirâtre. N'était-ce pas la peste ?... Tout cela pour
avoir joué les fanfarons et voulu sauter sur un
quai plus vite que ses compagnons, alors qu'il
venait d'échapper au naufrage !

Il enrageait contre le sort et sa propre sottise.
Il appelait presque quotidiennement l'écrivain et
lui dictait, pour Marie de Cressay, de longues lettres à la fois gémissantes et enflammées qu'il faisait expédier, par les courriers des banques lombardes, vers le comptoir de Neauphle, afin que le
premier commis les remît en secret à la jeune
fille.

Guccio assurait Marie qu'il ne souhaitait guérir
que pour le bonheur de la retrouver, de la contempler, de la chérir chaque jour des cieux. Il
la suppliait de lui garder la foi qu'ils s'étaient
jurée, et lui en promettait mille félicités. « Je n'ai
point d'autre âme que la vôtre en mon cœur, n'en
aurai jamais d'autre, et si elle me venait à faillir,
ma vie s'en irait avec. »

Car ce présomptueux, maintenant que l'adversité le clouait sur un lit d'Hôtel-Dieu, se prenait
à douter de tout et à craindre que celle qu'il aimait ne l'attendît pas. Marie allait se lasser d'un
amoureux toujours absent, et lui préférer quelque gentilhomme de sa province.

« Ma chance, se disait-il, est d'avoir été le premier à l'aimer. Mais voilà un an et bientôt six
mois que nous nous sommes donnés notre premier baiser. »

Alors que contemplant ses jambes amaigries, il
se demandait s'il pourrait jamais tenir debout, il
cherchait, dans ses lettres, à se montrer admi

rable. Il se donnait pour l'intime et le protégé de
la nouvelle reine de France. A le lire, on eût cru
qu'il avait lui-même négocié le mariage royal. Il
racontait son ambassade à Naples, la tempête, et
comment il s'y était conduit, affermissant le courage de l'équipage. Son accident, il l'attribuait à
un mouvement chevaleresque ; il s'était précipité
afin de soutenir la princesse Clémence et la sauver de tomber à l'eau, alors qu'elle descendait du
navire que secouaient, jusque dans le port, les
remous de la mer...

Guccio avait écrit également à son oncle Spi-
nellol Tolomei pour lui conter, mais avec moins
d'emphase, son accident, et lui demander du crédit à Marseille.

Des visites assez nombreuses le distrayaient un
peu. Le consul des marchands siennois était venu
le saluer et se mettre à sa disposition ; le correspondant des Tolomei le comblait d'attentions et
lui faisait parvenir une nourriture meilleure que
celle servie par les frères hospitaliers.

Un après-midi, Guccio eut la joie de voir apparaître son ami Boccace de Cellino, voyageur des
Bardi, qui se trouvait justement de passage à
Marseille. Auprès de lui, Guccio put se lamenter
à loisir.

« Pense à tout ce que je vais manquer, disait-il.
Je ne pourrai point assister aux noces de Donna
Clemenza, où j'aurais eu ma place parmi les
grands seigneurs. Avoir tant fait pour ce mariage,
et ne pas m'y trouver ! Et je vais manquer aussi
le sacre de Reims. Ah ! que cela me fait deuil...
et je n'ai aucune réponse de ma belle Marie. »

Boccace s'efforça de l'apaiser. Neauphle n'était
pas un faubourg de Marseille, et les lettres de

Guccio ne voyageaient pas par chevaucheurs royaux. Elles devaient transiter par les relais lombards d'Avignon, de Lyon, de Troyes et de Paris ; les courriers ne se mettaient pas en route chaque jour.

« Boccacio, mon ami, s'écria Guccio, si tu te rends à Paris, fais-moi la grâce d'aller à Neauphle et de voir Marie. Dis-lui tout ce que je t'ai confié ! Sache si mes missives lui ont bien été remises ; vois si elle est toujours en même humeur d'amour à mon endroit. Et ne me cache aucune vérité, même la plus dure... Ne crois-tu pas, Boccacino, que je devrais me faire transporter en litière ?

— Pour que ta blessure se rouvre, que les vers s'y mettent, et pour périr de la fièvre dans quelque mauvaise auberge de la route ? La belle idée ! Es-tu devenu fou ? Tu as vingt ans, Guccio...

— Pas encore !

— Raison de plus ; à ton âge, qu'est-ce qu'un mois de perdu ?

— Si c'était le bon mois, c'est toute la vie qui peut être perdue. »

Chaque jour, la princesse Clémence envoyait un de ses gentilshommes prendre des nouvelles du blessé. Par trois fois, le comte de Bouville vint lui-même s'asseoir au chevet du jeune Italien. Bouville était accablé de travail et de soucis. Il s'efforçait de rendre une apparence convenable à l'escorte de la future reine avant de poursuivre le voyage. Personne n'avait plus de vêtements hormis ceux, détrempés et gâchés, que chacun portait en débarquant. Les gentilshommes et les dames de parage commandaient chez les tailleurs et les lingères, sans se soucier de payer. Tout le trousseau de la princesse, perdu en mer, était à refaire ; il fallait racheter l'argenterie, la vaisselle, les coffres, les meubles de route. Bouville avait demandé des fonds à Paris ; Paris avait répondu qu'on s'adressât à Naples, puisque toutes ces pertes étaient survenues dans la partie du voyage qui incombait à la couronne de Sicile et que l'escorte se trouvait encore en terre angevine. Les Napolitains avaient renvoyé Bouville aux Bardi, leurs prêteurs habituels, ce qui expliquait le passage à Marseille du signor Boccace. En tout cet embrouillement, Guccio manquait fort à Bouville.

« Qu'aviez-vous à glisser ? disait l'ancien grand chambellan avec une nuance de reproche. Vous voyez, le Ciel vous a puni de vos paroles impies. Mais il me punit en même temps, en me privant de votre aide quand elle me serait le plus utile. Je n'entends rien aux comptes, et je suis sûr qu'on me pille.

— Quand allez-vous repartir ? lui demandait Guccio qui voyait venir ce moment avec désespoir.

— Oh ! mon ami, pas avant la mi-juillet !

— Peut-être serai-je remis.

— Je le souhaite. Efforcez-vous ; votre guérison me rendrait grand service. »

Mais la mi-juillet arriva sans que Guccio fût rétabli. La veille du départ, Clémence de Hongrie tint à venir elle-même dire adieu au malade.

Guccio était déjà fort envié de ses compagnons d'hôpital pour les visites qu'il recevait et toutes les attentions dont on l'entourait. Il commença de prendre figure de héros lorsque la fiancée du roi de France, accompagnée de deux dames et de six chevaliers napolitains, se fit ouvrir les portes de la grand-salle de l'Hôtel-Dieu.

Les frères hospitaliers, qui chantaient vêpres,

se retournèrent, surpris, et leurs voix s'enrouè-
rent. La belle princesse s'agenouilla, comme la
plus humble fidèle, puis, les prières terminées,
elle avança entre les lits, suivie par cent regards
tragiques. Sur les couches où les malades étaient
allongés tête-bêche, deux corps se dressaient pour
la voir passer. Des mains de vieillards se tendaient
vers elle.

Donna Clemenza ordonna aussitôt aux gens de
sa suite qu'on fît aumône à tous les indigents, et
qu'on donnât cent livres à la fondation.

« Mais, Madame, lui souffla Bouville, qui marchait à côté d'elle, nous n'avons pas assez d'argent pour tout payer.

— Qu'importe ! Cela vaut mieux que des coupes
ciselées pour boire, ou des soieries pour nous
parer. J'ai honte de penser à de semblables vani-
tés, j'ai honte même de ma santé lorsque je vois
tant de misère. »

Elle apportait à Guccio un reliquaire de corps
renfermant un minuscule morceau de la robe de
saint Jean, « avec une goutte visible du sang du
précurseur », qu'elle avait acheté fort cher à un
Juif spécialisé dans ce genre de commerce. Le
reliquaire était soutenu par une chaînette d'or
que Guccio aussitôt se passa au cou.

« Ah ! gentil signor Guccio, dit la princesse Clémence, j'ai chagrin de vous voir là. Vous avez fait
par deux fois un long voyage pour être, auprès de
messire de Bouville, le messager de bonnes nouvelles ; vous m'avez porté grand secours en mer,
et vous ne serez point présent aux fêtes de mes
noces ! »

Il faisait dans la salle une chaleur de four.
Dehors, un orage menaçait. La princesse sortit

de son aumônière un mouchoir, et essuya la sueur qui vernissait le visage du blessé d'un geste si naturel et si doux que Guccio en eut les larmes aux yeux.

« Mais comment ce malheur vous est-il survenu ? reprit Clémence. Je n'ai rien vu, ni point encore compris ce qui s'est passé.

— Je... j'ai cru, Madame, que vous alliez descendre, et comme la nef était encore remuée, je... j'ai voulu m'élancer pour vous présenter le bras. L'heure faisait qu'on n'y voyait guère... et voilà... le pied m'a glissé. »

Il serait désormais persuadé que les choses s'étaient passées ainsi, et que ce mouvement qui l'avait poussé à sauter le premier...

« Gentil signor Guccio ! répéta Clémence, tout émue. Guérissez vite, j'en aurai joie. Et venez me l'annoncer à la cour de France ; mes portes vous seront toujours ouvertes comme à un ami. »

Ils échangèrent un long regard, parfaitement innocent, parce qu'elle était fille de roi et lui fils de Lombard. Placés par la naissance en d'autres situations, ils eussent pu s'aimer.

IV

LES SIGNES DU MALHEUR

LE beau temps avait été de courte durée. Les ouragans, les orages, les grêles, les pluies torrentielles qui dévastèrent cet été-là l'occident de l'Europe, et dont la princesse Clémence avait déjà subi les atteintes en mer, reprirent le lendemain même de son départ de Marseille. Après une première étape à Aix-en-Provence et une autre au château d'Orgon, l'escorte entra en Avignon sous des avalanches d'eau. Le toit de cuir peint qui protégeait la litière où voyageait la princesse ruisselait aux quatre coins comme gargouilles d'église. Les garde-robes si chèrement reconstituées, les beaux vêtements neufs allaient-ils être déjà gâchés, les coffres percés par la pluie, et les selles brodées des chevaliers napolitains perdues, avant même que d'avoir ébloui les populations de France ?

A peine la troupe installée dans la ville papale, le cardinal Duèze, évêque d'Avignon, suivi de tout un clergé, vint saluer Madame Clémence de Hongrie. Visite de politique. Candidat officiel de la maison d'Anjou à l'élection pontificale, Jacques Duèze connaissait bien Donna Clemenza pour l'avoir vue grandir, alors qu'il était chancelier de la cour de Naples. Que Clémence épousât le roi de France arrangeait assez ses affaires, et il comptait un peu sur ce mariage pour gagner les voix qui lui manquaient parmi les cardinaux français.

Léger comme un daguet, en dépit de ses soixante-dix ans, Mgr Duèze gravit l'escalier, forçant ses diacres et camériers à courir derrière lui. Il était accompagné des deux cardinaux Colonna, provisoirement dévoués aux intérêts de Naples.

Pour recevoir toute cette pourpre, messire de Bouville secoua sa fatigue et retrouva sa dignité d'ambassadeur.

« Je vois, Monseigneur, dit-il au cardinal Duèze en le traitant comme une vieille connaissance, je vois qu'il est plus aisé de vous atteindre lorsqu'on escorte la nièce du roi de Naples que lorsqu'on vient à vous d'ordre du roi de France, et qu'il n'est plus nécessaire de battre les champs à votre recherche, comme vous m'y forçâtes l'hiver passé. »

Bouville pouvait se permettre ce ton d'humour ; le cardinal avait coûté cinq mille livres au Trésor de France.

« C'est que, messire comte, répondit le cardinal, le roi Robert m'a toujours fait l'honneur, avec grande persévérance, de sa pieuse confiance ;

et l'union de sa nièce, dont je sais la haute réputation de vertu, avec le trône de France exauce
mes prières. »

Bouville reconnaissait cette étrange voix, à la
fois ardente et brisée, étouffée, feutrée de timbre
mais rapide de rythme, qui l'avait tant frappé
lors de la première rencontre avec le cardinal.
Celui-ci, répondant à Bouville, parlait surtout
pour la princesse, vers laquelle il se tournait sans
cesse. Il poursuivit :

« Et puis, messire comte, les choses ont assez
changé, et l'on n'aperçoit plus derrière ce qui
vient de France l'ombre de Mgr de Marigny qui
avait le pouvoir bien long, et qui ne nous était
guère favorable. Est-il vrai qu'il se soit montré si
infidèle dans ses comptes que votre jeune roi,
dont on connaît pourtant la charité d'âme, n'ait
pu le sauver d'un juste châtiment ?

— Vous savez que messire de Marigny était mon
ami, répliqua Bouville avec courage. Je pense que
ses commis, plutôt que lui-même, ont été infidèles.
Il m'a été dur de voir un si vieux compagnon se
perdre par entêtement d'orgueil à vouloir tout
régenter. Je l'avais averti... »

Mais Mgr Duèze n'était pas au bout de ses
courtoises perfidies. Toujours s'adressant à Bouville, mais toujours regardant Clémence de Hongrie, il reprit :

« Vous voyez qu'il n'était point nécessaire de
tant s'inquiéter de cette annulation, dont vous
étiez venu m'entretenir, pour votre maître. La
Providence pourvoit souvent à nos souhaits... pour
peu qu'on l'aide d'une main un peu ferme... »

Des yeux et du visage, il semblait ajouter, à
l'intention de la princesse : « Je fais en sorte de

vous prévenir. Sachez à qui l'on vous marie. Si quelque chose vous trouble, à la cour de France, adressez-vous à moi. » Les hommes d'Eglise, même lorsqu'ils parlent beaucoup, doivent être entendus à demi-mot.

Bouville se hâta de changer de sujet, et d'interroger le prélat sur l'état du conclave.

« Toujours le même, dit Duèze, c'est-à-dire qu'il n'y a pas de conclave. Les intrigues sont plus nombreuses que jamais, et si finement ourdies qu'on n'en saurait débrouiller l'écheveau. Le camerlingue emploie tous ses efforts à bien prouver qu'il ne peut nous rassembler. Nous continuons d'être dispersés, les uns à Carpentras, d'autres à Orange, nous-mêmes ici... Caëtani à Vienne... »

Duèze savait que les voyageurs devaient faire arrêt à Vienne, chez une sœur de Clémence, mariée au dauphin de Viennois [4]. Aussi s'empressa-t-il de prononcer un réquisitoire chuchoté, mais féroce, contre le cardinal Francesco Caëtani, son principal adversaire.

« Il est plaisant de lui voir aujourd'hui tant de courage à défendre la mémoire de son oncle le pape Boniface. Nous ne pouvons oublier que lorsque Nogaret vint à Anagni, avec sa cavalerie, pour assiéger Boniface, Mgr Francesco abandonna ce bien cher parent, auquel il devait son chapeau, et s'enfuit costumé en valet. Il semble né pour la félonie comme d'autres pour le sacerdoce », déclara Duèze.

Ses yeux, animés d'une passion de vieillard, brillaient au fond d'un visage sec et creusé. A l'en croire, le Caëtani était capable des pires forfaits ; il y avait du diable chez cet homme-là...

« ... et le démon, comme vous savez, peut bien

s'introduire partout ; rien ne doit lui être plus plaisant que de s'asseoir en nos collèges. »

Les deux Colonna, animés d'une haine ancestrale contre tout ce qui portait nom ou sang des Caëtani, approuvèrent avec force.

« Je sais bien, ajouta Duèze, que le trône de saint Pierre ne doit pas rester indéfiniment vide, et que cela est mauvais pour l'univers. Mais qu'y puis-je ? Je me suis offert à recueillir ce fardeau. Si Dieu, en me désignant, veut élever son plus humble serviteur à la place la plus haute, je suis soumis à la volonté de Dieu. Que puis-je faire de plus, messire comte ? »

Après quoi, il remit en présent de noces, à Donna Clemenza, un exemplaire richement enluminé de la première partie de son *Elixir*, traité de science hermétique dont il était douteux que la jeune princesse pût comprendre la moindre ligne.

Puis il s'en alla, rapide et sautillant, suivi de ses prélats, diacres et camériers. Il menait déjà train de pape et, jusqu'à la limite de ses forces, empêcherait tout autre que lui d'être élu.

Le lendemain, tandis que la chevauchée princière avançait sur la route de Valence, Clémence de Hongrie demanda soudain à Bouville :

« De quoi est morte Madame Marguerite de Bourgogne ?

— Des rigueurs de la prison, Madame, et du chagrin de ses fautes, sans aucun doute.

— Que voulait dire le cardinal, en parlant de cette main ferme qui aurait aidé la Providence ? »

Hugues de Bouville se troubla un peu. Il se refusait pour sa part à accorder aucun crédit aux bruits qui circulaient concernant le décès de Marguerite.

« Le cardinal est un étrange homme, dit-il. On croirait toujours qu'il s'exprime par énigme latine. Sans doute est-ce d'avoir tant étudié. J'avoue que je ne parviens pas à suivre tous les détours de son esprit. Je pense qu'il voulait dire que la geôle est régime sévère, si le geôlier est ponctuel, et qui peut suffire à abréger les jours d'une femme... »

Une recrudescence de la pluie vint à propos le tirer d'affaire. On dut fermer les rideaux de cuir de la litière.

Allongée sur les coussins, balancée au pas des mules et enfermée dans ce bruit d'eau, crépitant, inlassable, Clémence de Hongrie pensait à Marguerite.

« Ainsi, le bonheur qui m'est promis, se disait-elle, je le dois à la mort d'une autre. » Elle se sentait inexplicablement liée à cette inconnue, à cette reine qu'elle allait remplacer et dont les fautes autant que le châtiment lui inspiraient effroi et pitié.

« Ses péchés ont causé son trépas, et son trépas me fait reine ». Elle y voyait comme une condamnation portée sur elle-même, et tout lui paraissait présage de malheur. La tempête, la blessure de Guccio, et ces pluies qui tournaient à la calamité... autant de signes néfastes.

Les villages traversés offraient un aspect désolé. Après un hiver de famine, alors que les récoltes s'annonçaient belles et que les paysans commençaient à reprendre courage, les intempéries en quelques jours avaient balayé tous les espoirs. L'eau, intarissable, pourrissait tout.

La Durance, la Drôme, l'Isère étaient en crue, et le Rhône qu'on longeait avait pris en grossissant une force dangereuse. Parfois, il fallait écarter de la route un arbre abattu par la tempête.

Le contraste était pénible, pour Clémence, entre la Campanie au ciel toujours bleu, aux vergers chargés de fruits d'or, et cette vallée ravagée, ces bourgades sinistres, à demi dépeuplées par la faim.

« Et plus au nord, ce sera pire encore. Je vais dans un pays dur. »

Elle eût voulu soulager toutes les misères, et faisait sans cesse arrêter sa litière pour distribuer des aumônes. Bouville était forcé de s'interposer, et s'appliquait à calmer cette ardeur de bonté.

« Si vous donnez de ce train, Madame, nous n'aurons plus de quoi gagner Paris. »

Ce fut en arrivant à Vienne, chez sa sœur Béatrice, dauphine de Viennois, que Clémence apprit que Louis X venait de partir en guerre contre la Flandre.

« Seigneur mon Dieu, murmura-t-elle, vais-je être veuve avant même que d'avoir vu mon époux ? Et ne vais-je en pays de France que pour y accompagner le malheur ? »

V

LE ROI PREND L'ORIFLAMME

Enguerrand de Marigny avait été accusé naguère de s'être vendu aux Flamands en négociant avec eux un traité de paix qui les avantageait. C'était même là le premier des quarante et un chefs d'accusation retenus contre lui.

Or, à peine Marigny pendu aux chaînes de Montfaucon, le comte de Flandre rompait le traité. Pour ce faire, il s'y prit de la manière la plus simple : il refusa, bien qu'il en eût reçu semonce, de venir à Paris rendre hommage au nouveau roi. Du même coup, il cessait de payer les redevances et réaffirmait ses revendications territoriales sur Lille et sur Douai.

A cette nouvelle, Louis X s'abandonna à l'une de ces colères démentes par lesquelles il croyait se montrer royal et qui lui avaient valu son surnom de Hutin ; sa rage dépassa en violence tout ce qu'il avait prouvé jusque-là.

Tournant dans son cabinet comme un blaireau en cage, les cheveux désordonnés, les joues empourprées, brisant les objets, renversant les sièges, il proféra pendant plusieurs heures des mots sans lien, interrompu seulement dans ses hurlements par des quintes de toux qui le pliaient en deux.

« La subvention ! Des gibets, il me faut des gibets ! Je rétablis la subvention... Et que fait Madame de Hongrie ? Qu'elle se hâte à cheminer ! A genoux, à genoux le comte de Flandre ! Et mon pied sur sa tête ! Bruges ? Du feu ! J'y mettrai le feu ! »

Tout se mêlait, le nom des villes révoltées, la promesse des châtiments, et même la tempête qui avait retardé l'arrivée de sa nouvelle épouse. Mais le mot qu'il répétait le plus souvent était celui de subvention, car il venait quelques jours plus tôt, sur l'avis de Charles de Valois, de clore la levée des impôts exceptionnels destinés à couvrir les frais de l'expédition ordonnée par son père, l'année précédente.

Alors on commença, sans oser le dire ouvertement, à regretter Marigny et la manière qu'il avait de traiter ce genre de soulèvements, lorsqu'il répondait, par exemple, à l'abbé Simon de Pise qui l'informait, un certain été, de l'agitation des Flamands : « Cette grande ardeur ne m'étonne pas, frère Simon, c'est l'effet de la chaleur. Nos seigneurs aussi sont ardents et épris de la guerre... Et vraiment, sachez que le royaume de France ne se laisse pas dépecer par paroles ; il y faut autres œuvres. » On souhaita reprendre le même ton ; malheureusement, l'homme qui pouvait parler ainsi n'était plus de ce monde.

Encouragé par Valois, qui n'était jamais las de prouver ses hautes vertus de capitaine, le Hutin se mit à rêver de prouesses. Il allait réunir la plus grande armée encore vue en France, fondre comme l'aigle sur les Flamands rebelles, en tailler plusieurs milliers en pièces, rançonner les autres, les réduire à merci dans la semaine et, là où Philippe le Bel n'avait pu réussir, montrer, lui, ce dont il était capable. Il se voyait déjà revenant, précédé des étendards du triomphe, ses coffres regarnis par le butin et les tributs imposés aux villes, ayant à la fois surpassé la mémoire de son père et effacé les déboires de son premier mariage. Puis, du même élan, au milieu des ovations populaires, il arrivait au galop, prince vainqueur et héros de bataille, pour accueillir sa nouvelle épouse et la conduire à l'autel et au sacre.

Ce jeune homme aurait pu être pris en pitié, pour ce qu'il y a de douloureux toujours dans la bêtise, s'il n'avait pas eu la charge de la France et de ses quinze millions d'âmes.

Le 23 juin, il réunit la cour des Pairs, bredouilla, mais avec violence, fit déclarer félon le comte de Flandre, et décida de convoquer l'ost royal [5] pour le premier jour d'août, devant Courtrai.

Le rendez-vous n'était pas des mieux choisis ; le nom de Courtrai sonnait comme celui d'une défaite. Or il faut prendre garde, en matière de guerre, aux précédents ; les catastrophes se reproduisent généralement aux mêmes emplacements.

Pour l'entretien de l'ost formidable qu'il voulait rassembler, Louis X se trouvait, naturellement, en peine d'argent. Son Conseil eut alors recours aux mêmes expédients qu'employait Marigny ; et l'on se demanda, dans l'opinion, s'il avait bien été nécessaire de condamner à mort l'ancien recteur du royaume, pour revenir aussi vite à ses méthodes en les appliquant plus mal.

On affranchit tous les serfs du domaine qui pouvaient acheter leur liberté ; on autorisa de nouvelles arrivées de Juifs dans les villes royales, moyennant une taxe écrasante sur le droit de séjour et de commerce ; on réduisit les privilèges des banquiers et marchands lombards, en même temps qu'on instituait une, puis deux tailles supplémentaires sur toutes leurs transactions, ceci en dépit des belles assurances données par le comte de Valois à ses prêteurs. Aussitôt les Lombards jugèrent le règne d'un œil beaucoup moins favorable [6].

On voulut également imposer le clergé ; mais celui-ci, tirant argument de ce que le Saint-Siège était vacant et que nulle décision ne pouvait se prendre en l'absence d'un pape, refusa ; après de difficiles négociations, les évêques consentirent une aide à titre exceptionnel, mais seulement en contrepartie d'exonérations et de franchises qui se révélèrent finalement coûter plus au Trésor que ne rapportaient les subsides obtenus.

La levée de l'armée s'accomplit sans difficultés, et même dans un certain enthousiasme de la part des barons qui se plaisaient à l'idée de sortir leurs cuirasses et d'aller courir l'aventure.

Le peuple affichait moins d'allégresse.

« N'est-ce point assez, disaient les commères, qu'on soit à demi morts de famine, pour aller encore donner nos hommes et notre argent à la guerre du roi ? »

Mais on faisait miroiter aux soldats l'espoir du butin et des jours francs de pillage et de viol ; pour beaucoup d'hommes, l'ost offrait une échappée à la monotonie du labeur quotidien et au souci de se nourrir ; nul ne voulait se montrer lâche ; et les sergents royaux savaient rappeler les manants au devoir en décorant de quelques pendus les arbres des routes.

La plupart des ordonnances de Philippe le Bel relatives à l'organisation de l'armée demeuraient en vigueur, grâce à l'obstination du connétable, et continuaient de prouver leur efficacité.

Tout homme valide, s'il était âgé de plus de dix-huit ans et de moins de soixante, devait le service armé, sauf à se racheter par une contribution en argent ou à justifier d'un métier jugé indispensable.

La formation de l'ost obéissait à une articulation essentiellement territoriale. Le chevalier, et même l'écuyer, n'allaient jamais seuls en guerre ; ils étaient accompagnés de valets d'armes, de sommeliers, de gens à pied. Possesseurs de leurs chevaux, de leur armement et de celui de leurs hommes, ils devaient constituer leur troupe avec les vassaux, sujets ou serfs de leur fief. L'octroi de la chevalerie correspondait à une nomination dans un grade, assorti d'obligations militaires fort précises. Le simple chevalier, une fois son monde équipé et rassemblé, rejoignait le chevalier de grade supérieur, généralement un chevalier à *pennon*, son suzerain immédiat. Les chevaliers à pennon ralliaient les chevaliers à bannière, ou *bannerets*, lesquels eux-mêmes étaient placés

sous les ordres des chevaliers à *double bannière,*
chefs des grandes unités tactiques levées sur la
juridiction de leur baronnie ou de leur comté.

La *bannière* du comte de Poitiers, frère du roi,
se présentait à elle seule comme un corps d'armée de proportions imposantes, puisqu'elle ras-
semblait à la fois les troupes du Poitou et celles
du comté de Bourgogne ; de plus, dix bannerets
y étaient administrativement rattachés, parmi lesquels le comte d'Evreux, Anseau de Joinville, fils
du grand Joinville, et le connétable Gaucher de
Châtillon lui-même, pour les troupes qui venaient
de son comté de Porcien.

Ce n'était certainement pas sans raison que Philippe le Bel avait confié à son second fils, avant
même que celui-ci eût vingt-deux ans, un commandement de telle importance ; la bannière de
Poitiers faisait équilibre en quelque sorte à la
bannière de Valois sous laquelle marchaient à la
fois les recrues du Valois, de l'Anjou et du
Maine.

Une autre grande unité était, bien sûr, celle
levée sur le domaine royal proprement dit. A
cette dernière appartenait Robert d'Artois, pour
sa châtellenie de Conches-en-Ouche et pour son
comté de Beaumont-le-Roger toujours promis, jamais remis.

Les villes n'étaient pas obligées à moindre contribution que les campagnes. Pour l'ost de Flandre, Paris eut à fournir quatre cents hommes de
cheval et deux mille hommes de pied. Les soldes
en seraient assurées par les bourgeois marchands
de la Cité, de quinzaine en quinzaine. Les chevaux et chariots nécessaires au train furent ré-
quisitionnés dans les monastères.

Le 24 juillet 1315, après quelque retard, comme il s'en produisait toujours, Louis X prit à Saint-Denis, des mains de l'abbé Egidius de Chambly qui en était gardien, l'oriflamme de France, longue bande de soie rouge, brodée des flammes d'or auxquelles elle devait son nom premier : *l'or-y-flambe*, et fixée sur une hampe couverte de cuivre doré.

De part et d'autre de l'oriflamme, portée comme une relique, flottaient les deux bannières du roi, à droite la bleue fleurdelisée, à gauche celle à croix blanche.

Et l'armée se mit en marche, comprenant tous les contingents arrivés de l'Ouest, du Sud et du Sud-Est, les chevaliers languedociens, les troupes de Normandie et de Bretagne. Les bannières de Bourgogne-duché, de Champagne, d'Artois et de Picardie rejoindraient en route, vers Saint-Quentin.

Ce jour-là fut un des rares ensoleillés dans un été pourri. La lumière étincelait sur les milliers de lances, les camails d'acier, les cottes de mailles, les écus de combat peints de couleurs vives. Les chevaliers se montraient les derniers perfectionnements d'armure, une nouvelle forme de cervelière qui assurait mieux le casque sur la tête, une fente de heaume qui permettait un meilleur champ de vue, ou encore quelque ailette plus enveloppante qui protégeait l'épaule des coups de masse ou faisait dévier le tranchant des épées.

Sur plusieurs lieues, à la suite des hommes d'armes, s'étirait le train des chariots à quatre roues transportant les vivres, les forges, les approvisionnements ; après quoi venaient les équipages des marchands autorisés à accompagner l'armée, et les filles follieuses par bonnes charretées sous la conduite des patrons de « bordeaux ».

Le lendemain, la pluie recommença de tomber, pénétrante, amollissant les routes, ouvrant des ornières, ruisselant sur les chapeaux de fer, coulant sous les cuirasses, plaquant le poil des chevaux. Chaque homme pesait dix livres de plus.

Et les jours suivants, la pluie, toujours la pluie...

L'ost de Flandre n'atteignit jamais Courtrai. Il s'arrêta à Bonduis, près de Lille, devant la Lys gonflée qui barrait tout passage, débordait sur les champs, effaçait les chemins, détrempait la terre argileuse. Comme on ne pouvait plus avancer, le camp fut établi à cet endroit, sous le déluge.

VI

L'OST BOUEUX

A L'INTÉRIEUR du tref royal, vaste tente toute brodée de fleurs de lis mais où l'on pataugeait comme
ailleurs, Louis X, entouré de son plus jeune
frère, Charles, nouvellement fait comte de la
Marche, de son oncle le comte de Valois, de
son chancelier Etienne de Mornay, écoutait le
connétable Gaucher de Châtillon exposer la situation. Le rapport ne présentait rien d'encourageant.

Châtillon, comte de Porcien et sire de Crève-
cœur, était connétable depuis 1284, c'est-à-dire le
tout début du règne de Philippe le Bel. Il avait
vu le désastre de Courtrai, la victoire de Mons-
en-Pévèle, et bien d'autres batailles sur cette
frontière du nord, toujours menacée, où il se
trouvait pour la sixième fois de sa vie. Il avait

alors soixante-cinq ans. C'était un homme de
moyenne taille, bien charpenté, que les années ni
la fatigue n'amoindrissaient. Son cou plissé sortant de la cuirasse, ses paupières mi-closes, et la
manière qu'il avait de tourner la tête, lentement,
de droite à gauche, le faisaient ressembler à une
tortue. Il paraissait pesant parce qu'il était ré-
fléchi. Sa force physique, son courage au combat
imposaient le respect autant que ses compéten-
ces stratégiques. Il avait trop connu la guerre
pour l'aimer encore, et ne la considérait plus que
comme une nécessité politique ; il ne mâchait
pas ses mots ni ne s'embarrassait de vaine glo-
riole.

« Sire, dit-il, les viandes et les vivres ne par-
viennent plus à l'ost, les chariots sont embour-
bés dans des fondrières à six lieues d'ici, et l'on
casse les traits d'attelage, à les vouloir sortir.
Les hommes commencent à gronder de faim et
de colère ; les bannières qui ont encore à manger
doivent défendre leurs réserves contre les voisins ; les archers de Champagne et ceux du Per-
che en sont venus aux mains tout à l'heure, et
ce serait beau voir que vos soldats se livrent bataille entre eux avant même que d'avoir affronté
l'ennemi. Je vais être forcé de faire pendre, ce
que je n'aime guère. Mais les gibets dressés ne
remplissent pas les ventres. Nous comptons déjà
plus de malades que n'en peuvent soigner les
barbiers-chirurgiens ; ce sont les aumôniers,
bientôt, qui auront gros travail. Voici quatre
jours que cela dure et qu'on ne voit point d'amé-
lioration à l'intempérie. Encore deux jours, la
famine est déclarée, et personne ne pourra empêcher les hommes de déserter pour aller querir

pitance. Tout est moisi, tout est pourri, tout est rouillé... »

En matière de preuve, il secoua le camail d'acier, dégouttant d'eau, qu'il avait ôté de ses épaules en entrant.

Le roi marchait en rond, nerveux, anxieux, agité. On entendait, dehors, des vociférations et des claquements de fouets.

« Qu'on cesse ce tumulte, cria le Hutin ; on ne s'entend plus ! »

Un écuyer souleva la portière du tref. La pluie continuait de tomber, torrentielle et formant devant l'entrée de la tente comme un autre rideau. Trente chevaux, enfonçant dans la boue jusque par-dessus les boulets, étaient attelés à un énorme tonneau qu'ils ne parvenaient pas à mouvoir.

« Où portez-vous ce vin ? demanda le roi aux charretiers qui barbotaient dans l'argile.

— A Mgr d'Artois, Sire », répondit l'un d'eux.

Le Hutin les regarda un moment de ses gros yeux globuleux, hocha la tête et se détourna sans rien ajouter.

« Que vous disais-je, Sire ? reprit Gaucher. Nous aurons peut-être à boire ce jour, mais demain, n'y comptez plus... Ah ! j'aurais dû vous prier plus nettement de vous en remettre à mon conseil. J'étais d'avis qu'on s'arrêtât plus tôt, en s'affermissant sur quelque hauteur, au lieu de plonger dans ce bourbier. Mgr de Valois et vous-même insistiez pour qu'on allât de l'avant. J'ai craint qu'on ne me prît pour couard et qu'on accusât mon âge, si j'empêchais l'ost de progresser. J'ai eu tort. »

Charles de Valois s'apprêtait à répliquer, lorsque le roi demanda :

« Et les Flamands ?

— Ils sont en face, de l'autre côté de la rivière, en aussi grand nombre que nous et guère plus heureux, je pense, mais plus près de leur ravitaillement, et soutenus par le peuple de leurs bourgs. Si même l'eau vient à baisser demain, ils seront mieux préparés à nous attaquer que nous à les assaillir. »

Charles de Valois haussa les épaules.

« Allons, Gaucher, la pluie vous assombrit l'humeur, dit-il. A qui ferez-vous croire qu'une bonne chevauchée chargeante ne pourrait avoir raison de cette piétaille de tisserands ? Aussitôt que nous progresserons, avec notre mur de cuirasses et notre forêt de lances, ils vont s'égailler comme moineaux. »

Le comte était superbe, malgré la boue qui le couvrait, dans sa cotte de soie brodée d'or passée par-dessus son vêtement de mailles ; et certes il paraissait plus roi que le roi lui-même. Cousin de tout le monde, il l'était aussi du connétable, ayant en troisièmes noces épousé une Châtillon.

« Vous montrez assez, Charles, répliqua Gaucher, que vous ne vous trouviez pas à Courtrai voici treize ans. Vous étiez alors à guerroyer en Italie, pour le pape. Moi, j'ai vu cette piétaille de tisserands, comme vous l'appelez, mettre à mal nos chevaliers qui s'étaient trop hâtés, les renverser de leurs montures et les découper au couteau, dans leurs armures, sans daigner faire de prisonniers.

— Il faut croire alors que je manquais, dit Valois avec une suffisance qui n'était qu'à lui. Cette fois, je suis là. »

Le chancelier Mornay chuchota à l'oreille du jeune comte de la Marche :

« Entre votre oncle et le connétable, il ne sera pas long que l'étincelle jaillisse ; dès qu'ils sont de front, la colère les prend seulement de se voir.

— La pluie, la pluie ! disait Louis X avec rage. Aurai-je donc toujours toutes choses contre moi ? »

Une santé incertaine, un père dont l'autorité glaciale l'avait pendant vingt-cinq ans écrasé, une épouse infidèle et scandaleuse, des ministres hostiles, un Trésor vide, des vassaux révoltés, une disette l'hiver même où commençait son règne, une tempête qui manquait d'emporter sa nouvelle femme... Sous quelle effroyable discorde de planètes, que les astrologues n'avaient pas osé lui révéler, fallait-il qu'il fût né, pour rencontrer l'adversité en chaque décision, en chaque entreprise, et finir par être vaincu, non pas même en bataille, noblement, mais par l'eau, par la boue où il venait d'enliser son armée !

A ce moment, on lui annonça une délégation des barons de Champagne, conduits par le chevalier Etienne de Saint-Phalle, et qui demandaient une révision de la charte qu'on leur avait octroyée au mois de mai. Les Champenois menaçaient de quitter l'ost s'ils n'obtenaient pas satisfaction immédiate.

« Ils choisissent bien leur jour ! s'écria le roi.

— Quand on commence à lâcher du fil, dit Gaucher en balançant sa tête de tortue, il faut s'attendre à ce que toute la pelote y passe... »

Chaque bannière de l'ost présentait une physionomie particulière qui tenait autant aux caractères de sa province d'origine qu'à la personnalité de son chef. Dans celle du comte de Poitiers régnait une discipline sévère ; les alignements de tentes y étaient rigoureux, les allées dégagées et remblayées autant qu'il se pouvait, les sentinelles régulièrement espacées ; et l'on n'y manquait pas de vivres, ou pas encore. Lorsque les chariots avaient commencé de s'embourber, Poitiers avait ordonné de répartir les denrées de subsistance et d'en charger les hommes de pied. Ceux-ci avaient d'abord maugréé ; aujourd'hui, ils bénissaient Mgr Philippe. De même qu'il appréciait l'ordre, Poitiers appréciait le confort. Cent valets d'armes avaient été employés à creuser des fossés d'écoulement, avant de planter son tref sur un sol de rondins où l'on pouvait vivre à peu près au sec. Presque aussi riche et spacieuse que celle du roi, cette tente comprenait plusieurs appartements séparés par des tapisseries.

À cette heure où son frère s'emportait contre la députation champenoise, Philippe de Poitiers assis sur son fauteuil de campagne, son épée, son écu et son heaume posés à portée de la main, conversait tranquillement avec ses principaux bannerets.

S'adressant à l'un des bacheliers de sa suite, il lui demanda :

« Héron, avez-vous lu, comme je vous en ai prié, le livre de ce Florentin...

— Dante dei Alighieri...

— ... C'est cela même... qui traite si mal ma famille, m'a-t-on dit. Il était fort protégé de Charles-Martel de Hongrie, le père de cette princesse Clémence qui bientôt nous arrive pour reine. J'aimerais savoir ce que conte son ouvrage.

— Je l'ai lu, Monseigneur, je l'ai lu, répondit

Adam Héron. Ce messer Dante imagine, pour
commencement de sa comédie, qu'en la trente-
cinquième année de son âge il se perd dans une
forêt sombre où le chemin lui est barré par des
animaux effrayants, à quoi messer Dante recon-
naît qu'il s'est égaré du monde des vivants... »

Les barons qui entouraient le comte de Poitiers
se regardèrent avec surprise. Le frère du roi
n'aurait jamais fini de les étonner. Voilà qu'au
milieu d'un camp de guerre, et dans le désarroi
où l'on était, il n'avait soudain d'autre souci que
de s'entretenir de poésie, comme s'il s'était trouvé au coin du feu, en son hôtel de Paris. Seul le
comte d'Evreux, qui connaissait bien son neveu
et l'appréciait chaque jour davantage depuis qu'il
servait sous ses ordres, avait deviné l'intention.
« Philippe cherche à distraire ses chevaliers de
cette mauvaise inaction et, plutôt que de les laisser s'échauffer la cervelle, il les mène à rêver en
attendant de les mener se battre. »

Car déjà Anseau de Joinville, Goyon de Bour-
çay, Jean de Beaumont, Pierre de Garancière,
Jean de Clermont, s'étant assis sur des coffres,
écoutaient, l'œil brillant, le récit du bachelier
Héron, d'après le Dante. Ces rudes hommes, bru-
taux souvent dans leur façon de vivre, étaient
épris de mystérieux et de surnaturel, et toujours
prêts à accueillir le merveilleux. Les légendes les
séduisaient. Le spectacle n'était pas sans étran-
geté que celui de cette assistance vêtue de fer qui
suivait avec passion les allégories savantes du
poète italien, s'interrogeait sur la beauté de cette
dame Béatrice aimée d'un si grand amour, frémissait au souvenir de Francesca di Rimini et de
Paolo Malatesta, et soudain s'esclaffait parce que

Boniface VIII, en compagnie de quelques autres papes, rôtissait au dix-huitième cercle de l'enfer, dans la fosse des trompeurs et des simoniaques.

« C'est une bonne manière qu'a inventée ce clerc pour se venger de ses ennemis et soulager ses griefs, dit Philippe de Poitiers en riant. Et où donc a-t-il placé ma parenté ?

— En purgatoire, Monseigneur, répondit le bachelier qui était allé, à la demande de tous, quérir le volume copié sur gros parchemin.

— Alors, lisez-nous ce qu'il en écrit, ou plutôt traduisez, pour ceux d'entre nous qui n'entendent pas la langue d'Italie.

— Je n'ose, Monseigneur...

— Mais si, ne craignez pas. Il importe de savoir ce que pensent de nous ceux qui ne nous aiment pas.

— Messer Dante invente qu'il rencontre une ombre qui gémit bien fort. Il interroge cette ombre sur la cause de sa douleur et voici la réponse qu'il obtient :

Je fus la racine de cette plante funeste
Qui projette tellement son ombre sur la terre
chrétienne
Que les bons fruits n'y peuvent mûrir que
rarement.
Si Douai, Gand, Lille et Bruges le pouvaient,
Une éclatante vengeance en serait tirée ;
Je la demande, cette vengeance, au souverain
juge.

— Eh ! voilà qui semble prophétique et s'accorde tout à fait au moment où nous sommes, dit le comte de Poitiers. Ce poète-là connaît bien nos ennuis de Flandre. Poursuivez...

— *Je fus appelé Hugues Capet ;*
De moi sont issus les Louis et les Philippe
Qui règnent récemment sur la France.
J'étais fils d'un boucher de Paris ;
Lorsque les anciens rois vinrent tous à manquer
Hormis un seulement, un moine en robe grise...

— Ceci est faux du tout, interrompit le comte de Poitiers en décroisant ses longues jambes. C'est une mauvaise légende qu'on a fait courir ces temps-ci pour nous nuire. Hugues était duc de France [7]. »

Tout le temps que dura la lecture, il ne cessa de commenter avec calme, parfois avec ironie, les attaques que le poète italien, déjà illustre en son pays, portait contre la maison royale. Dante accusait Charles d'Anjou, frère de saint Louis, non seulement d'avoir assassiné l'héritier légitime du trône de Naples, mais encore d'avoir fait empoisonner saint Thomas d'Aquin.

« Voici nos cousins d'Anjou bien assaisonnés eux aussi », dit à mi-voix le comte de Poitiers.

Mais le prince français à qui Dante s'en prenait avec le plus de violence, celui auquel il réservait ses pires malédictions, c'était un autre Charles, venu ravager Florence et la percer au ventre « *de la lance avec laquelle combattit Judas* ».

« Eh ! mais c'est de mon oncle Valois qu'il s'agit ici, et de sa grande croisade toscane, quand il était vicaire-général de la Chrétienté ! Voilà donc la raison de si forte vindicte. Il semble que Mgr Charles nous ait acquis de bons amis en Italie [8]. »

Les assistants se regardaient, ne sachant quelle attitude prendre. Mais ils virent que Philippe de Poitiers souriait, en se frottant le visage de sa longue main pâle. Alors ils osèrent rire. On n'appréciait guère Mgr de Valois dans l'entourage du comte de Poitiers...

Or, le poète Dante n'était pas seul à détester les princes de France. Ceux-ci avaient d'autres ennemis, tout aussi tenaces, et jusque dans les rangs de l'armée.

A deux cents pas du tref du comte de Poitiers, sous une tente du camp des chevaliers de Bourgogne-comté, le sire de Longwy, homme de petite taille, au visage sec et sévère, conférait avec un personnage bizarrement vêtu, moitié moine et moitié soldat.

« Les nouvelles que vous me portez d'Espagne sont bonnes, frère Evrard, disait Jean de Longwy, et j'aime entendre que nos frères de Castille et d'Aragon ont repris leurs commanderies. Ils sont plus heureux que nous, qui devons continuer d'agir dans le silence. »

Jean de Longwy était le neveu du grand-maître des Templiers, Jacques de Molay, dont il se considérait l'héritier et le successeur. Il avait juré de venger le sang de son oncle et d'en réhabiliter la mémoire. La mort prématurée de Philippe le Bel, accomplissant la triple et fameuse malédiction, n'avait pas désarmé sa haine ; il la reportait sur les héritiers du Roi de fer, sur Louis X, sur Philippe de Poitiers, sur Charles de la Marche. Longwy suscitait à la couronne tous les ennuis qu'il pouvait ; il militait dans les ligues baronniales ; en même temps, il s'efforçait de reconstituer secrètement l'ordre des Templiers, gardant liaison avec des frères rescapés par lesquels il s'était fait reconnaître grand-maître [9].

« Je souhaite fort la défaite du roi de France,

reprit-il, et je ne suis venu à cet ost qu'avec l'espoir de le voir navré d'un bon coup d'épée, ainsi que ses frères. »

Maigre, les yeux noirs et rapprochés, et boiteux par l'effet des tortures, l'ancien Templier Evrard répondit :

« Que vos prières soient exaucées, maître Jean, par Dieu s'il se peut, et sinon par le diable.

— Ne m'appelez point maître, pas ici », dit Longwy.

Il souleva brusquement la portière pour s'assurer qu'on ne les épiait pas, et expédia vers quelque corvée deux valets d'écurie qui ne faisaient d'autre mal que s'abriter de la pluie sous l'auvent de la tente. Puis, revenant à Evrard :

« Nous n'avons rien à attendre de la couronne de France. Mais il dépendra du nouveau pape de rétablir l'Ordre, et de nous rendre nos commanderies d'ici et d'outre-mer. Ah ! le beau jour que ce sera là, frère Evrard ! »

La chute de l'Ordre ne remontait qu'à huit ans, sa condamnation à moins encore, et il n'y avait guère plus de seize mois que Jacques de Molay était mort sur le bûcher. Tous les souvenirs étaient frais, les espérances vivaces. Longwy et Evrard pouvaient encore rêver.

« Donc, frère Evrard, reprit Longwy, vous allez maintenant vous rendre à Bar-sur-Aube, où l'aumônier du comte de Bar, qui est un peu des nôtres, vous donnera une place de clerc afin de n'avoir plus à vous cacher. Puis vous partirez pour Avignon, d'où l'on m'instruit que le cardinal Duèze, qui est une créature de Clément V, a repris de grandes chances d'être élu, ce que nous devons éviter à tout prix. Trouvez le cardinal Caëtani qui est résolu, lui aussi, à venger son oncle le pape Boniface.

— Je gage qu'il m'accueillera bien, lorsqu'il saura que j'ai déjà aidé à envoyer Nogaret les pieds outre. C'est la ligue des neveux que vous allez faire !

— Tout juste, Evrard, tout juste. Voyez donc Caëtani et dites-lui que nos frères d'Espagne et d'Angleterre, et tous ceux cachés en France, le souhaitent et le choisissent en leur cœur pour pape. Ils se tiennent prêts à le soutenir, non seulement de prières, mais par tous moyens. Je parle en leur nom. Vous vous mettrez à l'obéissance du cardinal pour ce qu'il vous demandera... Là-bas, voyez aussi le frère Jean du Pré qui pourra vous être de grand secours. Et ne manquez pas en chemin de connaître si certains de nos frères ne sont pas dans les parages. Tâchez à les réunir en petites compagnies, à leur faire répéter leurs serments, comme vous le savez. Allez, mon frère ; ce sauf-conduit, qui vous donne pour frère-aumônier de ma bannière, vous aidera à sortir du camp sans que questions vous soient posées. »

Il tendit un papier que l'ancien Templier glissa sous le gambison de cuir qui recouvrait jusqu'aux hanches son froc de bure.

« Sans doute manquez-vous de deniers ? dit encore Longwy.

— Oui, maître. »

Longwy tira deux pièces d'argent de sa bougette. Evrard lui baisa la main, et partit en boitant, sous la pluie.

Comme il traversait la bannière de France, il entendit dans une allée des cris et des rires. Une femme, largement dépoitraillée et abritant ses che-

veux rouges sous sa jupe retroussée, courait entre deux tentes, poursuivie par des soldats goguenards. Sur l'arrière d'un chariot bâché, une autre ribaude aguichait la pratique. Evrard s'arrêta, la hanche de travers, et demeura immobile un moment, attentif à son propre émoi. Les occasions de sacrifier aux désirs de la chair étaient rares. Ce qui le faisait hésiter, c'était moins d'employer à pareilles fins l'obole de maître Jean que le peu de temps écoulé entre le don et l'usage. Bah ! il mendierait pour poursuivre sa route. Le pain s'obtient de la charité plus fréquemment que le plaisir. Il se dirigea vers le chariot aux ribaudes...

Tout auprès se dressait une haute tente rouge brodée des trois châteaux d'Artois, mais sur laquelle flottait la bannière de Conches.

Le campement de Robert d'Artois ne ressemblait en rien à celui du comte de Poitiers. De ce côté-là, en dépit de la pluie, ce n'était que mouvement, agitation, rumeur, allées et venues dans un désordre si général qu'il paraissait voulu. Le lieu donnait l'image d'un marché en plein vent plus que d'une place de guerre. Des relents de cuir mouillé, de vin suri, de purin, d'excréments offensaient un peu le nez.

D'Artois avait loué aux marchands qui accompagnaient l'armée une partie des champs affectés à sa bannière. Qui souhaitait acheter un baudrier neuf, remplacer la boucle de son heaume, se procurer des protège-coudes en fer ou simplement lamper un gobelet de cervoise ou de piquette, devait venir là. Le désœuvrement, chez le soldat, favorise la dépense. On tenait foire devant la portière de messire Robert, qui s'était arrangé pour attirer également dans son coin les filles follieuses, si bien qu'il en pouvait faire libéralité à ses amis.

Quant aux archers, arbalétriers, palefreniers, valets d'armes et goujats, ils avaient été repoussés et s'abritaient sous des feuillées qu'ils avaient construites, ou bien sous les chariots.

A l'intérieur de la tente rouge, on ne parlait guère poésie. Un tonneau de vin y était constamment en perce, les cruches circulaient au milieu du vacarme, les dés roulaient sur le couvercle des coffres ; l'argent se jouait sur parole, et plus d'un chevalier avait déjà perdu ce que lui aurait coûté sa rançon en bataille.

Alors que Robert ne commandait qu'aux troupes de Conches et de Beaumont-le-Roger, un grand nombre de chevaliers d'Artois, qui dépendaient de la bannière de la comtesse Mahaut, se trouvaient en permanence chez lui, où ils n'avaient, militairement parlant, rien à faire.

Adossé au mât central, Robert d'Artois dominait de sa taille colossale toute cette turbulence. Le nez bref, les joues plus larges que le front, et ses cheveux de lion rejetés en arrière sur sa cotte écarlate, il jonglait négligemment avec une masse d'armes. Pourtant, il y avait une fêlure dans l'âme du géant, et ce n'était pas sans motif qu'il désirait s'étourdir de boisson et de bruit.

« Aux miens, les batailles de Flandre ne valent guère, confiait-il aux seigneurs qui l'entouraient. Mon père, le comte Philippe, que beaucoup de vous ont bien connu et fidèlement servi...

— Oui, nous l'avons connu !... C'était un preux homme, un vaillant ! répondaient les barons d'Artois.

— ... mon père fut blessé à mort au combat de Furnes. C'est dans son tref que nous sommes, disait Robert accompagnant ces mots d'un large geste circulaire. Et mon grand-père, le comte Robert...

— Ah ! le brave... le bon suzerain que c'était !... respectant nos bonnes coutumes !... Jamais en vain on ne lui demandait justice...

— ... quatre années après, le voilà raide navré à Courtrai. Jamais les deux ne s'en vont sans le troisième. Demain, peut-être, mes seigneurs, vous me porterez en terre. »

Il est deux sortes de superstitieux : ceux qui n'évoquent jamais le malheur de peur de l'attirer, et ceux qui espèrent le détourner en lui accordant un tribut de paroles. Robert d'Artois était de la seconde espèce.

« Caumont, verse-moi un autre gobelet, et buvons à mon dernier jour ! cria-t-il.

— Nous ne voulons point ! Nous vous ferons rempart de notre corps, répondirent les chevaliers artésiens. Qui donc, hormis vous, défend nos droits ? »

Ils le considéraient comme leur suzerain naturel, et l'idolâtraient un peu pour sa taille, sa force, son appétit, ses largesses. Tous rêvaient de lui ressembler ; tous s'appliquaient à l'imiter.

« Or voyez, mes bons seigneurs, comme on est récompensé de tant de sang versé pour le royaume, reprit-il. Parce que mon grand-père est mort après mon père... oui, pour cela... le roi Philippe en a pris occasion de me faire tort de mon héritage et de donner l'Artois à ma tante Mahaut qui vous traite si bien, avec l'aide de tous ses Hirson, le chancelier, le trésorier et tous les autres, qui

vous écrasent de redevances et vous refusent vos
droits.

— Si nous allons demain en bataille, et qu'un
Hirson se trouve à portée de ma lance, je lui
promets quelque coup qui ne viendra pas forcément des Flamands », déclara un gaillard aux gros
sourcils roux qui s'appelait le sire de Souastre.

Robert d'Artois, en dépit de ce qu'il buvait,
gardait la tête claire. Tout ce vin distribué, les
filles offertes, et tant d'argent dépensé avaient
leur raison ; le géant travaillait à avancer ses
affaires.

« Mes nobles sires, mes nobles sires, dit-il,
d'abord la guerre du roi, dont nous sommes les
loyaux sujets et qui, pour l'heure, je vous l'assure,
est tout acquis à vos justes doléances. Mais une
fois la guerre achevée, alors, mes seigneurs, je
vous donne conseil de ne point vous désarmer.
C'est une bonne occasion que vous avez là d'être
en troupe, avec vos gens réunis. Rentrez ainsi en
Artois, et parcourez le pays pour chasser les agents
de Mahaut et les fesser au cul sur la place des
bourgs. Et moi je vous appuierai à la Chambre
du roi, et reprendrai s'il le faut mon procès en
appel du jugement qui m'a lésé ; et je m'engage
à restaurer vos coutumes, comme elles étaient au
temps de mes pères.

— Ainsi ferons-nous, messire Robert, ainsi ferons-nous ! »

Souastre ouvrit les bras.

« Jurons, s'écria-t-il, de ne point nous séparer
avant qu'il n'ait été fait droit à nos requêtes, et
que notre bon sire Robert ne nous ait été rendu
pour être notre comte.

— Nous le jurons ! » répondirent les barons.

Il y eut force embrassades et encore de grandes rasades versées ; et l'on alluma les flambeaux parce que le jour baissait. Robert se réjouissait de voir la ligue d'Artois, qu'il avait fomentée, si bien prête à l'action. C'eût été sottise, vraiment, que de mourir le lendemain...

A ce moment, un écuyer pénétra dans la tente en disant :

« Monseigneur Robert, les chefs de bannière sont requis céans au tref du roi ! »

Quand d'Artois entra, sans hâte, chez le roi, la plupart des grands seigneurs déjà s'y trouvaient, assis en cercle pour ouïr le connétable.

Beaucoup ne s'étaient lavés ni rasés depuis six jours. Ordinairement, ils n'auraient jamais passé temps si long sans aller aux étuves. Mais la crasse faisait partie de la guerre.

Lassé de devoir répéter les mêmes évidences, Gaucher de Châtillon fut bref, et presque impertinent à l'égard du souverain. Ce roitelet, décidément, ne lui convenait guère, qui tranchait seul sur les sujets qui eussent mérité Conseil et tenait assemblée lorsqu'il eût dû ordonner. Gaucher avait été habitué à d'autres méthodes, où le commandement des troupes ne constituait pas matière à délibérer.

Etalant sa cotte de soie bleue sur ses genoux, Valois commença de pérorer.

« Il est vrai, Sire mon neveu, comme Gaucher vient de le confirmer, qu'on ne peut davantage rester en ce lieu où tout s'abîme à la fois, l'âme des hommes et le poil des chevaux. L'inaction nous gâche autant que la pluie... »

Il s'interrompit parce que le roi s'était retourné et parlait à Mathieu de Trye, son chambellan.

Le Hutin réclamait seulement qu'on lui passât son drageoir ; les difficultés lui inspiraient le besoin de sucer ou de croquer quelque sucrerie.

« Poursuivez, mon oncle, je vous prie, dit-il.

— Il faut déloger demain tôt le matin, reprit Valois, trouver un passage à la rivière, en amont, et courir sus aux Flamands pour les culbuter avant le soir.

— Avec des hommes sans vivres, des montures sans fourrage ? dit le connétable.

— La victoire leur remplira le ventre. Ils peuvent tenir encore une journée ; c'est le jour d'après qu'il sera trop tard.

— Et moi, je vous réponds que vous allez vous faire tailler ou vous faire noyer. Il faut, si vous m'en croyez, retirer l'armée sur une hauteur vers Tournai ou Saint-Amand, laisser les viandes nous parvenir, les eaux s'écouler...

— On voit bien, cousin, dit Valois, que vous touchez cent livres la journée quand le roi chevauche avec l'ost, et que vous vous souciez peu de voir finir la guerre. »

Le ton voulait être celui de la boutade ; mais le connétable, blessé au vif, répliqua :

« Je suis au devoir de vous rappeler, cousin, que même le roi ne peut marcher sus à l'ennemi sans que le connétable en ait donné l'ordre. Et cet ordre, en l'état présent, je ne le donnerai point. Ce faisant, le roi peut toujours changer de connétable. »

Un pénible silence s'ensuivit. L'affaire prenait un mauvais tour. Pour complaire à Valois, Louis X allait-il révoquer le chef des armées, comme il avait destitué Marigny et tous les légistes de Philippe le Bel ?

Le comte de Poitiers immédiatement intervint.

« Mon frère, je partage entièrement le conseil de Gaucher. Nos troupes ne sont point en mesure de combattre sans s'être restaurées une bonne semaine.

— C'est aussi mon avis, dit le comte Louis d'Evreux.

— Alors, on ne châtiera donc jamais ces Flamands ! » s'écria Charles de la Marche qui se plaisait à copier Valois.

Le connétable eut pour le plus jeune frère du roi un regard de mépris. « L'oison », comme l'appelait sa propre mère la reine Jeanne, avait parlé.

Sur quoi le comte de Champagne annonça qu'il s'en irait si on ne livrait pas bataille le lendemain ; ses chevaliers s'agitaient trop, et, de toute manière, il ne les avait levés que pour deux semaines. Valois écarta ses mains chargées de bagues, comme pour dire : « Vous voyez ! » Mais il semblait déjà moins convaincu, et seul l'amour-propre l'empêchait de revenir sur ses opinions belliqueuses.

« Retraite ou défaite, Sire, voilà le choix », dit Gaucher.

Le roi ne donnait toujours pas signe de savoir à quel parti se résoudre. Toute cette équipée ne faisait de sens pour lui que rapidement menée. Prendre la décision de la sagesse, se regrouper ailleurs, attendre, c'était repousser d'autant l'heure de son mariage, et obérer un peu plus ses finances. Quant à prétendre franchir une rivière en crue et charger au galop dans la boue...

Au vrai, il avait pensé qu'il ne serait pas obligé de charger, et que les Flamands céderaient devant le seul déploiement d'un ost si formidable.

Robert d'Artois, qui se tenait assis derrière Valois, se pencha vers celui-ci et lui murmura quelques mots. Valois approuva de la tête, d'un air indifférent. Qu'on fît ce qu'on voudrait ; il se retirait du débat.

Robert alors se leva et, s'avançant de trois pas pour mieux dominer l'assemblée :

« Sire mon cousin, dit-il, je devine votre souci. Vous n'avez point assez de moyens d'argent pour maintenir ce grand ost à ne rien faire. En outre, votre nouvelle épouse vous attend, que nous avons tous hâte à voir reine, comme nous avons hâte à vous voir sacré. Mon conseil est qu'il ne faut point s'obstiner. Ce n'est pas l'ennemi qui nous oblige à rebrousser ; c'est cette pluie où je vois la volonté de Dieu devant laquelle tout un chacun, si puissant qu'il soit, doit s'incliner. Notre Seigneur sans doute vous signifie ainsi de ne pas combattre avant d'avoir été oint des Saintes Huiles. Vous tirerez autant de gloire, mon cousin, d'un beau sacre que d'une bataille aventureuse. Renoncez donc pour le moment à châtier ces mauvais Flamands, et, si la peur que vous leur avez inspirée ne suffit point, revenons en même nombre au prochain printemps. »

Dans l'embarras où l'on piétinait, cette solution radicale, celle du renoncement, proposée par un homme dont on ne pouvait suspecter le courage aux armes, reçut l'assentiment d'une grande partie des barons, et tout d'abord celui du roi. Montrant une fois de plus son manque de pondération, Louis X se rua avec empressement et reconnaissance dans l'échappée que d'Artois lui découvrait.

« Mon cousin, vous avez parlé sagement, déclara-t-il. Le Ciel nous manifeste son avertissement.

Que l'armée reparte donc, puisqu'elle ne peut poursuivre. »

Puis, enflant la voix pour se donner de la majesté, il ajouta :

« Mais je jure Dieu que si je suis encore en vie l'an prochain, j'irai envahir les Flamands et n'aurai avec eux nulle accordance qu'ils ne s'abandonnent en tout à ma volonté. »

Il n'eut plus alors d'autre souci que de déloger. Il fallut au connétable et à Philippe de Poitiers beaucoup d'insistance pour le convaincre de mesures indispensables, comme de maintenir au moins quelques garnisons le long de la frontière de Flandre ; il ne les entendait plus ; il était déjà parti.

Dans cette dispersion, Valois trouvait son compte. Il avait maintenu à peu de frais sa réputation héroïque. D'Artois y trouvait le sien mieux encore ; la guerre manquée profitait à sa ligue.

Telle était la hâte du roi qu'elle se fit contagieuse et que le lendemain matin, faute de charrois et de pouvoir extraire de la boue tout le matériel, on mit le feu aux tentes, aux meubles, à l'équipement. L'appétit de destruction se soulageait ainsi.

Laissant derrière elle, sur de vastes espaces, des embrasements fumeux qui luttaient contre l'éternelle pluie, l'armée, fourbue et affamée, se présenta au soir devant Tournai ; les habitants effrayés fermèrent les portes de la ville ; on n'exigea pas qu'ils les ouvrissent. Le roi alla demander asile dans un monastère.

Le surlendemain 7 août, il était à Soissons, d'où il signa les ordonnances qui mettaient fin à la campagne. Il chargea Valois des préparatifs du sacre, et envoya Philippe de Poitiers à Saint-Denis afin d'y rendre l'oriflamme et d'y prendre l'épée et la couronne. Les princes se retrouveraient entre Reims et Troyes pour se porter au-devant de Clémence de Hongrie.

Quatorze jours avaient suffi à Louis Hutin pour déposer dans la corbeille de ses secondes noces l'inoubliable ridicule de l'expédition par lui conduite et qu'on ne désignait déjà plus que sous le nom d'*ost boueux*.

VII

LE PHILTRE

UNE litière légère, portée par deux mules à la tête desquelles couraient des valets, pénétra dans la grande cour de l'hôtel d'Artois, rue Mauconseil. Béatrice d'Hirson, nièce du chancelier d'Artois et demoiselle de parage de la comtesse Mahaut, en descendit. Nul n'aurait pu penser que cette belle fille brune venait de parcourir près de quarante lieues en deux jours. Sa robe était à peine fripée ; son visage était lisse et frais comme au sortir du sommeil. D'ailleurs, elle avait dormi une partie de la route sous de bonnes couvertures, au balancement de la litière. La poitrine haute, la jambe longue, avançant d'un pas qui paraissait lent parce qu'il était allongé et toujours égal, elle se rendit directement auprès de sa maîtresse. La comtesse était attablée devant son second repas, qu'elle prenait vers tierce.

« C'est fait, Madame, dit Béatrice en tendant à la comtesse une minuscule boîte de corne.

— Comment va ma fille Jeanne ? »

D'une voix traînante, nasale, et toujours vaguement ironique, même quand il n'y avait aucun motif à ironiser, la demoiselle de parage répondit, marquant des pauses inattendues :

« La comtesse de Poitiers va bien, Madame... aussi bien qu'il se peut. Le séjour de Dourdan ne lui est point trop pénible... elle a mis de son côté les gardiens. Elle a le teint clair et n'a que peu maigri ; elle est soutenue par l'espérance... et le soin que vous prenez d'elle.

— Ses cheveux ? demanda la comtesse.

— Ce sont des cheveux d'un an, Madame... pas aussi longs encore que des cheveux d'homme ; mais ils semblent pousser plus drus qu'ils n'étaient avant.

— Enfin, est-elle présentable ?

— Avec une guimpe autour du visage, assurément... Et puis, elle peut s'orner de fausses nattes.

— Les faux cheveux ne se gardent pas au lit », dit Mahaut.

Elle avala, par grandes cuillerées, la fin d'un potage aux pois et au lard et, pour s'alléger le palais, but un gobelet de vin d'Arbois. Puis elle ouvrit la boîte de corne, considéra la poudre grise qui en formait le contenu.

« Combien cela me coûte-t-il ?

— Vingt-deux livres.

— Peste, les magiciennes font bien payer leur science.

— Elles risquent gros.

— Combien, là-dessus, as-tu gardé pour toi ?

— Presque rien, Madame... Juste de quoi

m'acheter cette robe d'écarlate que vous m'aviez promise... et que vous ne m'avez point donnée. »

La comtesse Mahaut ne put s'empêcher de sourire ; cette fille savait comment la prendre.

« Tu dois avoir le ventre creux ; goûte un peu à ce pâté de canard », dit-elle en se servant à elle-même une épaisse tranche.

Puis, revenant à la boîte de corne, elle ajouta :

« Je crois à la vertu des poisons pour se débarrasser d'un ennemi, mais guère aux philtres pour se gagner un adversaire. Ce sont tes idées, pas les miennes.

— Et pourtant, je vous assure, Madame, qu'il faut y croire, répondit Béatrice. Celui-ci est fort bon ; il n'est pas fait à la cervelle de mouton... mais seulement aux herbes, et préparé devant moi. Je suis donc allée à Dourdan, et j'ai tiré un peu de sang du bras droit de Madame Jeanne. Puis, j'ai porté ce sang à la personne que je vous ai dit, Isabelle de Fériennes... qui l'a mélangé avec de la verveine, de l'amourette de de la livèche ; et cette Fériennes a prononcé la formule de conjuration ; elle a déposé le mélange sur une brique neuve, et l'a brûlé avec du bois de frêne pour obtenir la poudre que je vous apporte. Il n'est plus maintenant qu'à mettre cette poudre dans une boisson, la faire avaler au comte de Poitiers, et avant peu vous le verrez repris d'amour pour son épouse... avec une force que rien ne pourrait entraver. Doit-il toujours venir vous visiter ce matin ?

— Je l'attends. Il est rentré de l'ost hier soir, et je l'ai prié de passer me voir.

— Alors, je vais aussitôt mêler le philtre à de l'hypocras... que vous lui offrirez à boire. L'hypocras, qui est chargé en épices et sombre de couleur, dissimulera bien la poudre. Mais je vous conseille, Madame... de vous remettre au lit et de feindre d'être malade, pour avoir prétexte à ne pas boire vous-même ; car il ne faudrait pas que vous alliez absorber ce breuvage... et vous trouver prise d'amour pour Madame votre fille.

— C'est en tout cas une bonne idée que de le recevoir couchée, répondit la comtesse d'Artois, et de me prétendre en mauvais point. On peut dire les choses plus droitement. »

Elle fit enlever la table, demanda une robe de nuit et se remit au lit. Puis elle appela auprès d'elle son chancelier Thierry d'Hirson, ainsi que son cousin germain Henri de Sully, qui logeait chez elle ; et elle travailla en leur compagnie aux affaires de son comté.

Un peu plus tard, on annonça le comte de Poitiers. Il entra, vêtu de sombre comme à l'ordinaire, ses jambes de héron chaussées de bottes souples, et la tête, sous le chaperon à crête, un peu penchée au bout de son long corps.

« Ah ! mon beau fils ! s'écria Mahaut comme si elle avait vu apparaître le Sauveur. Que je suis aise de votre venue. Savez-vous à quoi je m'occupais ? Je me faisais lire l'état de mes biens pour dicter mes volontés dernières. J'ai souffert la plus mauvaise nuit du monde, toute torturée aux entrailles par l'angoisse de la mort ; et j'avais grand-crainte de passer outre sans vous avoir ouvert ma pensée, pour ce que je vous aime, en dépit de tout, d'un cœur de mère. »

Afin de conjurer les mensonges qu'elle venait de proférer, elle tira le petit reliquaire en forme de médaillon qu'elle portait sur la poitrine au bout d'une chaîne d'or, et le baisa dévotement.

« Que saint Druon me protège [10] », dit-elle en reglissant le médaillon dans son vaste corsage.

Bien installée parmi ses coussins de brocart, les joues rebondies et colorées, l'épaule large, le bras charnu, Mahaut offrait les signes d'une robuste santé. Tout au plus aurait-elle eu besoin, peut-être, de se faire tirer une ou deux pintes de sang.

« Allons, elle va me donner la comédie, pensa Philippe de Poitiers. De nature comme d'apparence, elle ressemble trait pour trait à Robert. Ils se haïssent d'être trop pareils. Je gagerais qu'elle va me parler de lui. »

Il ne se trompait pas. Mahaut se mit aussitôt à vitupérer ce mauvais neveu, ses manœuvres, ses intrigues, et la ligue qu'il animait contre elle. Pour Mahaut comme pour Robert, toutes les affaires du monde passaient par le comté d'Artois qu'ils se disputaient depuis treize ans. Leurs pensées, leurs démarches, leurs amitiés, leurs alliances, leurs amours même, se rattachaient toujours de quelque façon à cette lutte ; l'un n'entrait dans un clan que parce que l'autre appartenait au clan adverse ; Robert ne soutenait une ordonnance royale que parce que Mahaut la désapprouvait ; Mahaut était d'avance hostile à Clémence de Hongrie parce que Robert avait donné appui au mariage. Cette haine qui excluait tout accord, toute transaction, dépassait son objet, et l'on pouvait se demander s'il n'y avait pas entre la géante et le géant une sorte de passion à rebours, inconnue d'eux-mêmes, et qui se fût mieux apaisée dans l'inceste que dans la guerre.

« Toutes ses méchancetés avancent mon trépas, dit Mahaut. J'ai su que mes vassaux, assemblés par Robert, ont prononcé serment contre moi. C'est cela qui m'a remué les humeurs et mise dans l'état où je suis.

— Ils ont juré ma mort, Monseigneur », dit Thierry d'Hirson.

Philippe de Poitiers se tourna vers le chanoine-chancelier et vit que c'était lui, et non Mahaut, qui était malade, de peur.

« J'allais monter à l'ost, pour remettre de l'ordre dans ma bannière, reprit Mahaut ; j'avais fait sortir, comme vous voyez, mes atours de guerre... »

Elle désigna, vers un coin de la pièce, un imposant mannequin revêtu d'une longue robe en mailles d'acier et d'une cotte de soie brodée aux armes d'Artois ; à côté étaient préparés le heaume et les gantelets.

Mahaut soupira. Elle regrettait l'occasion perdue. Elle aimait bien se vêtir en chevalier, comme un homme.

« Et puis j'ai appris la fin de cette glorieuse chevauchée qui coûte au royaume l'argent et l'honneur. Ah ! l'on peut dire que votre pauvre frère n'est guère fortuné, et que tout ce qu'il entreprend va à la traverse. En vérité, je vous le dis comme je le crois, vous auriez fait un bien meilleur roi que lui, et c'est grande pitié pour tous, mon beau fils, que vous soyez né le second. Votre père, que Dieu l'ait en grâce, en soupirait souvent. »

Depuis le scandale de la tour de Nesle et la détention de Jeanne à Dourdan, le comte de Poitiers n'avait revu sa belle-mère que dans les cérémonies publiques, lors des funérailles de Philippe le Bel par exemple, ou bien aux séances de la

Chambre des pairs, mais jamais en privé. Ils se marquaient de la froideur. Pour une reprise de contact, l'ouverture était grosse ; Mahaut, dans le compliment, ne prenait pas la petite mesure. Elle invita son gendre à s'asseoir plus près de son lit. Hirson et Sully se retirèrent vers la porte.

« Mais non, mes bons amis, vous n'êtes point de trop ; vous savez bien que je n'ai pas de secrets pour vous », leur dit-elle.

En même temps, elle leur faisait signe, d'un mouvement de doigts, de sortir de la pièce.

Or, il était peu habituel, chez les grands seigneurs, de recevoir un visiteur tête à tête. Leurs appartements étaient constamment occupés ou traversés par des parents, des familiers, des vassaux, des serviteurs. Les entretiens se déroulaient généralement au vu de tous, ou, au moins, en présence d'un gentilhomme de la chambre ou d'une dame de parage. D'où la nécessité de l'allusion, du demi-mot. Lorsque les deux interlocuteurs principaux se retiraient dans une embrasure de fenêtre pour converser à voix basse, les gens de leur suite affectaient le détachement, mais se sentaient facilement ou vexés ou inquiets. Tout entretien à portes closes prenait une allure de complot. Et c'était bien l'allure que Mahaut voulait donner à son entretien avec le comte de Poitiers, ne fût-ce que pour le compromettre un peu et le faire mieux entrer dans son jeu.

Aussitôt qu'ils furent seuls, elle lui demanda :
« Quels sont vos sentiments pour ma fille Jeanne ? »

Comme il hésitait à répondre, elle entama sa plaidoirie. Certes, Jeanne de Bourgogne avait eu

des torts, de grands torts même, en n'avertissant
pas son mari des intrigues d'alcôve qui déshono-
raient la maison royale, et en se faisant complice...
volontairement, involontairement, qui pouvait le
dire ?... du scandale. Mais elle-même n'avait point
péché de corps ni trahi le mariage ; tout le monde
le reconnaissait ; et le roi Philippe, lui-même,
pourtant si courroucé, en était convenu, puisqu'il
avait assigné à Jeanne une résidence particulière,
sans jamais signifier que cette réclusion fût à
vie...

« Je sais, j'étais au conseil de Maubuisson, dit
le comte de Poitiers qui souhaitait couper à ces
souvenirs amers.

— Et comment Jeanne aurait-elle pu vous trahir, Philippe ? Elle vous aime. Elle n'aime que
vous. Qu'il vous suffise de vous rappeler ses cris,
lorsqu'on l'emmena dans son chariot noir : « Dites
« à Mgr Philippe que je suis innocente ! » J'en ai
encore le cœur fendu, moi, sa mère, d'avoir dû
assister à cela. Et depuis quinze mois que la voilà
à Dourdan, je le sais par son confesseur, jamais
un mot contre vous, rien que paroles d'amour, et
des prières à Dieu pour regagner votre cœur. Je
vous assure que vous avez là une femme plus fidèle, plus dévouée que beaucoup, et qui a été
durement châtiée. »

Elle rejetait toutes les fautes, toutes les culpa-
bilités sur Marguerite de Bourgogne, et cela avec
d'autant plus de tranquillité que Marguerite, pre-
mièrement, n'appartenait pas à sa proche famille
et, secondement, n'existait plus. C'était Marguerite
la pécheresse, la dévergondée, la catin ; c'était
Marguerite qui avait entraîné Blanche, pauvre enfant inconsciente, qui avait abusé l'amitié de

Jeanne... D'ailleurs, à Marguerite elle-même ne devait-on pas concéder quelques excuses ? L'espoir d'être reine de Navarre ne suffit pas à tout, et quelle femme ne se fût attristée du mari qu'on lui avait donné ! En définitive, Mahaut tenait le Hutin pour le premier responsable de son infortune.

« Il paraît que votre frère n'est pas très bien membré...

— On m'a toujours assuré, au contraire, qu'il était normal de ce côté-là, encore qu'un peu effarouché ou violent sur la chose... mais nullement empêché, répondit le comte de Poitiers.

— Vous n'avez point, comme moi, les confidences des femmes », répliqua Mahaut.

Elle se redressa, massive, sur ses oreillers, regarda son gendre droit dans les yeux.

« Philippe, parlons clair, dit-elle. Croyez-vous que l'héritière, la petite Jeanne de Navarre, soit de lui ou du galant de Marguerite ? »

Philippe de Poitiers se frotta un instant le menton.

« Mon oncle Charles de Valois affirme qu'elle est bâtarde, répondit-il, et Louis lui-même, par la façon qu'il a d'éloigner cette enfant, semble le confirmer. D'autres, comme mon oncle d'Evreux ou, bien sûr, le duc de Bourgogne, la tiennent pour légitime.

— S'il arrivait malheur à Louis, qui n'est pas bien fort de santé, vous êtes dans le moment le second en ligne de succession. Mais si la petite Jeanne est déclarée bâtarde, comme nous pouvons penser qu'elle l'est, alors vous devenez le premier, et c'est à vous d'être roi. Vous êtes fait pour régner, Philippe.

— La nouvelle épouse qui lui arrive de Naples fournira peut-être à mon frère un héritier.

— S'il est capable de procréer. Ou si Dieu lui en laisse le temps... », dit Mahaut en appuyant bien sur ces derniers mots.

A ce moment, Béatrice d'Hirson entra, portant un plateau chargé d'une aiguière ciselée, de gobelets de vermeil et d'une coupe emplie de dragées. Mahaut eut un mouvement d'impatience. L'interruption était vraiment peu opportune ! Mais sans se troubler ni se hâter, la demoiselle de parage emplit les gobelets, et présenta au comte de Poitiers hypocras et dragées. Mahaut étendit machinalement la main vers un gobelet. Béatrice la regarda de telle façon qu'elle se reprit, disant :

« Non, je suis trop malade, tout me tourne sur le cœur. »

Poitiers réfléchissait. Il n'avait pas manqué lui-même durant les mois récents, de penser à l'éventualité de la succession. En clair, Mahaut lui proposait alliance et soutien, pour le cas où Louis X viendrait à disparaître.

Béatrice d'Hirson était ressortie.

« Ah ! Philippe, sauvez ma fille Jeanne de la mort, je vous en conjure, s'écria soudain Mahaut, pathétique. Elle n'a point mérité tel sort.

— Mais qui donc la menace ? demanda Poitiers.

— Robert, toujours lui ! répondit-elle. J'ai appris qu'il était de connivence avec votre sœur Isabelle pour machiner la perte de mes filles et de Marguerite... Et j'ai vu ce grand gueux, à la place où vous êtes, venir m'annoncer lui-même mon malheur, la mine tout apitoyée. Et moi je l'ai cru sincère. Il se pourléchait, le putois ! Mais cela ne lui portera pas bonheur, comme cela n'a pas porté bonheur à Isabelle. Son mari a reperdu l'Ecosse, et continue de se vautrer dans le vice avec des portefaix... »

Elle s'arrêta un instant, parce que Poitiers approchait le gobelet de ses yeux myopes pour en examiner la ciselure. Puis elle enchaîna :

« Mais mon satan de Robert a fait mieux depuis. Savez-vous que le jour où Marguerite fut trouvée morte, Robert était entré à Château-Gaillard au petit matin ?

— Vraiment ? » dit Poitiers sans montrer une surprise extrême.

Il avait, lui aussi, ses informations. Il but une gorgée et parut apprécier le breuvage.

« Blanche, enfermée dans la même tour, a tout entendu. La pauvre enfant, depuis, est comme folle. Elle m'a fait parvenir l'autre jour un message... Entendez-moi, Philippe, il va les tuer l'une après l'autre. Son jeu est clair. Robert à présent peut agir à sa guise et tout obtenir du roi ; ils sont complices du même meurtre. Il suffit que Robert parle pour que Louis approuve. Maintenant, il va s'attaquer à ma descendance. Je suis seule, veuve, avec un fils trop jeune encore pour qu'il me puisse fournir appui, et pour la vie duquel je tremble autant que pour la vie de mes filles [11]. Tant de douleurs et de craintes ne peuvent-elles pas faire mourir une femme avant l'âge ? »

A nouveau, elle toucha sa relique pectorale.

« Dieu m'est témoin que je ne voudrais pas trépasser en laissant mes enfants livrés à ce chacal. De grâce, reprenez votre épouse auprès de vous pour la protéger, et montrez du même coup que je ne suis point sans allié. Car, s'il arrivait que Jeanne fût enlevée à la vie, ou bien restât recluse, et que l'Artois me fût ôté comme si fort on s'y emploie, alors je serais obligée de demander retour, pour mon fils, du palatinat de Bourgogne, qui était la dot de Jeanne. »

Poitiers ne put qu'admirer l'adresse avec laquelle sa belle-mère avait planté sa dernière lance. Ainsi le marché était nettement proposé : « Ou bien vous reprenez Jeanne, et je vous pousse au trône s'il devient vacant, afin que ma fille soit reine de France ; ou bien vous refusez la réconciliation conjugale, mais alors je renverse mes positions et négocie la reprise du comté de Bourgogne contre l'abandon de l'Artois. »

Or, la Bourgogne-comté constituait non seulement une immense possession, mais aussi, par sa situation de palatinat, un possible accès à la couronne élective de l'empire d'Allemagne.

Poitiers contempla un instant Mahaut, monumentale sous les grandes courtines de brocart drapées autour de son lit.

« Elle est fourbe comme le renard, obstinée comme le sanglier ; elle a sans doute du sang sur les mains, mais je ne pourrais jamais me défendre d'avoir pour elle de l'amitié... Dans sa violence comme dans son mensonge, il y a toujours une pointe de naïveté... »

Pour cacher le sourire qui lui venait aux lèvres, il but au gobelet de vermeil.

Il ne promit rien, ne conclut rien, car il était de nature réfléchie, et ne considérait pas qu'il y eût urgence à décider. Mais, à tout le moins, il voyait déjà le moyen de contrebalancer au Conseil des pairs l'influence de Valois, qu'il tenait pour funeste.

Il but une dernière gorgée et dit :

« Nous parlerons de tout ceci au sacre, où nous allons nous revoir promptement, ma mère. »

Et par ce « ma mère » qu'il employait pour la première fois depuis quinze mois, Mahaut comprit qu'elle avait gagné.

Aussitôt après le départ de Philippe, Béatrice entra et examina le gobelet.

« Il l'a vidé presque jusqu'au fond, dit-elle avec satisfaction. Vous verrez, Madame... que Mgr de Poitiers va bientôt aller à Dourdan.

— Je vois surtout, répondit Mahaut, qu'il nous ferait un fort bon roi... si nous perdions le nôtre. »

VIII

UN MARIAGE DE CAMPAGNE

Le mardi 13 août 1315, à l'aube crevant, les habitants du petit bourg de Saint-Lyé, en Champagne, furent éveillés par des cavalcades venant et du nord et du sud, par les routes de Sézanne et de Troyes.

D'abord les maîtres de l'hôtel du roi arrivèrent au galop et s'engouffrèrent, avec toute une escorte d'écuyers, de sommeliers et de valets, sous les voûtes du château. Puis apparut un grand charroi de meubles et de vaisselle, sous la conduite des majordomes, argentiers et tapissiers ; enfin s'avança, monté sur mules et chantant des cantiques, tout le clergé de Troyes, suivi de près par les marchands italiens qui desservaient habituellement les foires de Champagne. La cloche de l'église se mit à sonner à la volée ; le roi allait tout à l'heure se marier à Saint-Lyé.

Alors, les paysans crièrent « Noël », et les femmes coururent aux champs cueillir des fleurs afin
de faire des jonchées, comme pour le passage du
saint sacrement, tandis que les officiers de bouche
se répandaient aux alentours, raflant œufs, viandes, volaille et poissons de vivier en aussi grandes
quantités qu'ils en pouvaient trouver.

Par chance, il avait cessé de pleuvoir depuis la
veille ; mais le temps restait lourd et gris ; la
chaleur du soleil, à défaut de ses rayons, perçait
les nuages. Les gens du roi s'essuyaient le front, et
les villageois, regardant le ciel, annonçaient que
l'orage éclaterait avant la vesprée. Au château,
on entendait taper les menuisiers ; les cheminées
des cuisines fumaient, et l'on déchargeait de
hautes charretées de paille qu'on épandait dans les
salles pour y servir de couche aux escortes.

Saint-Lyé n'avait pas connu pareille. efferves-
cence depuis le jour où Philippe Auguste, au début du siècle précédent, était venu confirmer so-
lennellement la donation de ce château fort aux
évêques de Troyes. Un événement tous les cent
ans [12].

Vers la tierce heure de la matinée, le roi, entouré de ses deux frères, de ses deux oncles, de
ses cousins Philippe de Valois et Robert d'Artois,
traversa le village au galop, sans répondre aux
acclamations et en ravageant les jonchées de
fleurs qu'il fallut replacer après son passage.

Il fit encore une demi-lieue, et soudain il aperçut, venant en sens inverse, le cortège de Clémence
de Hongrie.

Ce cortège, conduit par l'évêque de Troyes, Jean
d'Auxois, cheminait lentement, d'un train de pro-
cession.

« Le roi, Madame, voici le roi ! » dit Bouville qui chevauchait auprès de la litière de la princesse.

Clémence, se penchant pour regarder, lui demanda lequel, d'entre ces cavaliers qui avançaient de front, était son futur mari. Bouville s'expliqua mal, ou bien elle entendit mal la réponse, et elle prit pour son fiancé le comte de Poitiers, parce qu'il se tenait en selle avec une naturelle noblesse et il lui parut, dans sa haute minceur, le plus séduisant. Or, ce fut le cavalier de moins bonne tournure qui mit pied à terre le premier et s'approcha de la litière. Bouville, déjà descendu de sa propre monture, lui saisit la main pour y poser ses lèvres et, ployant le genou, dit :

« Sire, voici Madame de Hongrie. »

Alors la belle princesse angevine vit le jeune homme aux gros yeux pâles et au teint brouillé, dont les décrets du sort et les intrigues des cours l'envoyaient partager le destin, le lit et le pouvoir.

Louis X, de son côté, la contemplait sans rien dire, l'air stupéfait, au point que dans le premier moment Clémence crut qu'elle ne lui plaisait pas.

Ce fut elle qui se décida à rompre le silence.

« Sire Louis, dit-elle, je suis à jamais votre servante. »

Cette parole parut délier la langue du Hutin.

« Je craignais, ma cousine, que le portrait en peinture qu'on m'avait envoyé de vous ne fût trompeur et flatté ; mais je vous vois plus de grâce et de beauté que l'image n'en montrait. »

Et il se retourna vers sa suite, comme pour faire apprécier sa chance.

Puis on procéda aux présentations des mem-

bres de la famille. Un seigneur de forte corpulence, habillé d'or comme s'il fût allé en tournoi,
embrassa Clémence en l'appelant « ma nièce »,
et l'assura qu'il l'avait vue enfant à Naples ; Clémence comprit que c'était là Charles de Valois,
le principal artisan de son mariage. Puis elle sut
que l'élégant cavalier, qui s'inclinait en lui disant
« ma sœur », était l'aîné de ses nouveaux beaux-
frères.

Soudain, les mules qui portaient la litière firent un écart ; une colossale masse humaine,
vêtue de rouge, et dont Clémence ne parvint pas
à apercevoir la tête, masqua un instant la lumière ;
la princesse entendit prononcer :

« Votre cousin, messire Robert d'Artois. »

On se remit très vite en marche, et le roi pria
l'évêque de prendre les devants, afin que tout fût
prêt en l'église.

Clémence s'attendait à ce que la rencontre se
déroulât différemment. Elle avait imaginé qu'il y
aurait des tentes dressées en un lieu décidé à
l'avance, que les hérauts d'armes sonneraient de
la trompette de part et d'autre, et qu'il lui serait
offert un léger repas, pendant lequel elle com-
mencerait de faire connaissance avec son fiancé.
Elle pensait aussi que le mariage ne se célébrerait
qu'après quelques jours et serait le prélude à deux
semaines de fêtes, avec joutes, jongleurs et mé-
nestrels, selon l'usage des noces princières.

La brusquerie de cet accueil en forêt, sur une
petite route, et l'absence d'apparat la surprirent
un peu. On eût cru avoir simplement croisé, par
hasard, une partie de chasse. Elle fut encore plus
déroutée en apprenant qu'elle allait être mariée,
sur l'heure, dans un château voisin où l'on pas-

serait la nuit, pour repartir le lendemain vers Reims.

« Mon doux Sire, demanda-t-elle au roi qui maintenant chevauchait à côté d'elle, retournerez-vous à la guerre ?

— Certes, Madame, je vais y retourner... l'an prochain. Si je n'ai point poursuivi plus loin les Flamands cette année, et les ai laissés sur leur peur, c'est que je ne voulais différer de vous accueillir et de conclure nos accordailles. »

Le compliment était si gros que Clémence en demeura perplexe. Elle allait de surprise en surprise. Ce roi, si impatient de la rejoindre qu'il licenciait son armée, lui offrait une noce de village.

En dépit des jonchées de fleurs et de l'enthousiasme des paysans, le château de Saint-Lyé, petite forteresse aux murs épais encrassés par trois siècles d'humidité, parut sinistre à la princesse napolitaine. Celle-ci eut à peine une heure pour changer de vêtements et se recueillir avant la cérémonie, si l'on peut appeler recueillement une station dans une chambre où les tapissiers n'avaient pas achevé d'accrocher les tentures brodées, et où Mgr de Valois vint aussitôt bourdonner comme un gros frelon doré, prétendant instruire sa nièce, en si peu d'instants, de tout ce qu'elle avait à savoir sur la cour de France et particulièrement de la place essentielle que lui, Charles de Valois, y occupait.

Ainsi Clémence devait apprendre que Louis X, s'il possédait toutes les qualités souhaitables chez un époux, n'avait pas que des vertus, surtout en politique. Il était sensible aux influences et se défendait mal des mauvais conseilleurs. Dans cette affaire de Flandre, par exemple, Valois estimait que Louis ne l'avait pas assez écouté, tandis qu'il ouvrait trop l'oreille aux conseils du connétable et du comte de Poitiers. Quant à l'élection du pape... Clémence était passée par Avignon ? Qui avait-elle vu ? Le cardinal Duèze ? Mais bien sûr ; il fallait faire élire Duèze... Clémence devait comprendre pourquoi Valois avait tant insisté et si bien manœuvré pour qu'elle devînt reine de France ; il comptait fort sur sa bonne présence, sa grâce et sa sagesse pour l'aider à bien gouverner le roi. Que Clémence n'hésitât pas à s'ouvrir à lui, en confiance, sur toutes choses. Dès à présent, il leur fallait conclure une alliance étroite. N'était-il à la cour le plus proche parent de Clémence, par son premier mariage avec Marguerite d'Anjou, et ne tenait-il pas lieu de père au jeune souverain ?...

En vérité, Clémence commençait à se sentir ivre de ce flot de paroles, de tous ces noms prononcés pêle-mêle, et de l'agitation de ce personnage brodé d'or qui virait autour d'elle. Trop d'impressions neuves, de visages entr'aperçus, se brouillaient dans sa tête. Et puis, enfin, elle allait se marier dans un moment. Elle était convaincue du bon vouloir de chacun, et touchée de la sollicitude que lui montrait le comte de Valois. Mais elle aurait bien souhaité pouvoir se préparer l'âme. Etait-ce donc cela un mariage de reine ?

Elle eut le courage de demander pourquoi l'on mettait tant de hâte à la cérémonie.

« Parce que Louis doit être sacré dimanche à Reims, et qu'il a voulu que votre union se fît auparavant, afin que vous puissiez être au sacre avec lui », répondit Valois.

Ce qu'il ne dit pas, c'est que les dépenses du mariage incombaient à la couronne, tandis que les frais du sacre étaient à la charge des échevins de Reims. Or, la cassette royale, après l'échec de l'ost boueux, était plus démunie que jamais. D'où ces noces bâclées, sans le moindre faste ; les réjouissances seraient offertes par les Rémois.

Clémence de Hongrie n'obtint un peu de paix qu'en réclamant son confesseur. Elle s'était déjà confessée le matin, mais elle voulait être bien sûre d'arriver sans péché à l'autel. N'avait-elle pas commis quelque faute vénielle, dans ces dernières heures, manqué d'humilité en s'étonnant du peu de pompe avec laquelle on la recevait, manqué de charité aussi envers Mgr de Valois ?

Tandis que s'accomplissaient les derniers préparatifs, Hugues de Bouville fut abordé dans la cour du château par messer Spinello Tolomei. Le capitaine général des Lombards, toujours aussi alerte malgré ses soixante ans et sa bonne bedaine, se rendait lui aussi à Reims car il s'était assuré de grosses fournitures pour le sacre. Il put donner à Bouville des nouvelles de Guccio toujours hospitalisé à Marseille.

« Qu'avait-il besoin de s'aller jeter à l'eau, gémit Tolomei. Ah ! il me manque bien ces jours-ci ! C'est lui qui devrait courir les routes.

— Et à moi, croyez-vous qu'il n'a pas manqué, tout le long du chemin ? répondit Bouville. L'escorte a dépensé le double de ce qu'aurait coûté le voyage, si Guccio en avait tenu les comptes. »

Tolomei était soucieux. L'œil gauche fermé, la lippe un peu pendante, il se plaignait des événe-

ments, des taxes sur les ventes, du contrôle des
marchés et des dernières mesures touchant les
Lombards. Cela ressemblait fort aux ordonnances
du roi Philippe.

« Pourquoi nous avoir assuré que tout allait
changer... »

Bouville se sépara de Tolomei pour rejoindre
le cortège nuptial.

Ce fut Charles de Valois qui conduisit la fiancée
à l'autel. Quant à Louis X, il eut à marcher seul.
Aucune femme de la famille n'était auprès de lui
pour figurer l'accompagnement maternel. Sa
grand-tante Agnès de France, fille de saint Louis
et duchesse douairière de Bourgogne, avait re-
fusé de venir, et l'on comprenait assez pourquoi :
elle était la mère de Marguerite. La comtesse
Mahaut avait prétexté un empêchement de dernière heure causé par l'agitation en Artois ; elle
rejoindrait Reims directement, pour le sacre où
ses fonctions de pair lui faisaient obligation de
paraître. Les comtesses de Valois et d'Evreux
qui, elles, étaient attendues, n'arrivèrent pas ; on
apprendrait qu'une erreur d'itinéraire les avait
déroutées vers une chapelle Saint-Lyé, distante
d'une dizaine de lieues et située dans les parages
de Reims...

Mgr Jean d'Auxois, mitre en tête, officiait.
Tout le temps que dura la messe, Clémence se
reprocha de ne pas parvenir à se recueillir autant
qu'elle l'eût souhaité. Elle s'efforçait d'élever sa
pensée vers le Ciel, suppliant Dieu de lui accorder, en toutes les heures de la vie, les vertus
d'épouse, les qualités de souveraine, et les bénédictions de la maternité ; mais ses yeux, malgré
elle, s'abaissaient sur l'homme qu'elle entendait

respirer à son côté, dont elle connaissait à peine les traits, et dont le soir même elle allait partager le lit.

Il avait, chaque fois qu'il s'agenouillait, une toux brève qui semblait un tic ; la ride profonde qui cernait son menton trop court surprenait, chez un être encore si jeune. La bouche était mince, abaissée aux coins, les cheveux longs et plats, d'une couleur imprécise. Et lorsque cet homme se tournait vers elle, elle se sentait gênée par le regard de ses gros yeux pâles. Elle s'étonnait de ne pas retrouver l'état de bonheur sans mesure et sans mélange qui l'habitait au départ de Naples.

« Mon Dieu, empêchez-moi d'être ingrate aux bienfaits dont vous me chargez. »

Mais l'on ne commande pas en tout instant à son esprit ; et Clémence se surprit à penser que si on lui avait donné à choisir entre les trois princes de France, elle eût préféré le comte de Poitiers. Un grand effroi la saisit et elle faillit s'écrier : « Non, je ne veux pas, je ne suis pas digne ! » A ce moment, elle s'entendit répondre « Oui », d'une voix qui ne lui parut pas la sienne, à l'évêque qui lui demandait si elle voulait prendre Louis, roi de France et de Navarre, pour époux.

Le premier coup de tonnerre de l'orage prévu éclata comme on passait au doigt de Clémence un anneau trop large ; les assistants s'entre-regardèrent et plus d'un se signa.

Quand le cortège sortit, les paysans attendaient, groupés devant l'église, en chemise de toile et les jambes entourées de chiffons. Clémence murmura :

« Ne va-t-on pas leur faire l'aumône ? »

Elle avait pensé tout haut, et l'on remarqua que sa première parole de reine avait été une parole de bonté.

Pour lui complaire, Louis X ordonna à son chambellan de lancer quelques poignées de monnaie. Les paysans aussitôt se jetèrent au sol, et le spectacle offert à la nouvelle mariée fut celui d'une bataille sauvage sur les fleurs de la jonchée. On entendait des déchirures d'étoffe, des grognements sourds comme en poussent les truies, et des chocs de crânes. Les barons s'amusaient fort à contempler cette mêlée. L'un des vilains, plus large et plus lourd que les autres, écrasait de son pied les mains qui avaient attrapé une piécette et les forçait à s'ouvrir.

« Voilà un goujat qui me paraît savoir y faire, dit Robert d'Artois en riant. A qui est-il ? Je l'achète volontiers. »

Et Clémence vit avec déplaisir que Louis, lui aussi, riait.

« Ce n'est pas ainsi qu'on donne, pensa-t-elle, je lui apprendrai. »

La pluie se mit à tomber.

Les tables avaient été dressées dans la plus grande salle du château. Le repas dura cinq heures. « Et voilà, je suis reine de France », se disait Clémence. Elle ne s'habituait pas à cette idée. Elle ne s'habituait d'ailleurs à rien. La gloutonnerie des seigneurs français la stupéfiait. A mesure que circulait le vin, le ton des voix montait. Seule femme à ce banquet d'hommes de guerre, Clémence voyait tous les regards converger sur elle, et devinait qu'au bout de la salle les propos prenaient un tour assez gras.

De temps à autre, l'un des convives s'absentait. Mathieu de Trye, le grand chambellan, cria :
« Le roi notre Sire défend qu'on pisse dans l'escalier par lequel il passera. »

Comme on était au quatrième service de six plats chacun, dont un cochon entier présenté sur sa broche et un paon avec sa roue reconstituée autour du croupion, deux écuyers s'avancèrent portant un pâté monumental qu'ils déposèrent devant le couple royal. On fendit la croûte et un renard vivant surgit du pâté, aux exclamations de l'assistance. Faute d'avoir pu préparer des pièces montées et des châteaux en sucrerie qui eussent réclamé plusieurs jours de fabrication, les cuisiniers s'étaient distingués de cette manière.

Le renard affolé avait sauté dans la salle où il tournoyait, la queue rousse et touffue au ras des dalles, et ses beaux yeux brillants, un peu laiteux, tout apeurés.

« Au goupil ! au goupil ! » hurlèrent les seigneurs en bondissant de leurs sièges.

Une chasse s'improvisa, autour des tables. Ce fut Robert d'Artois qui attrapa l'animal. On vit le géant plonger vers le sol, et se relever tenant à bout de bras le renard qui couinait, découvrant des crocs minces sous ses babines noires. Puis Robert referma lentement les doigts ; les vertèbres craquèrent ; les yeux du renard devinrent vitreux, et Robert étendit l'animal mort sur la table, devant la nouvelle reine, comme un hommage.

Clémence qui maintenait du pouce son anneau trop grand demanda si c'était la coutume en France que les femmes de la parenté n'assistassent point aux mariages. Elle reçut de Louis quelques explications embarrassées.

« Mais de toute façon, ma sœur, vous n'auriez pas eu l'occasion de voir mon épouse, dit le comte de Poitiers.

— Et pourquoi donc... mon frère ? demanda Clémence qui éprouvait à la fois de l'intérêt à tout ce qu'il disait et de la gêne à lui répondre.

— Parce qu'elle est encore enfermée au château de Dourdan », dit Philippe de Poitiers.

Puis se tournant vers le roi :

« Sire mon frère, en ce jour de bonheur pour vous, je vous requiers de lever la peine qui fut infligée à Jeanne mon épouse. Ses erreurs n'étaient point crimes, et elle s'en est repentie. »

Le Hutin, pris de court, ne savait que décider. Devait-il, devant Clémence, faire montre de mansuétude ou au contraire de fermeté, deux qualités également royales ? Il chercha des yeux, pour lui demander conseil, Charles de Valois, mais celui-ci était allé prendre l'air. Et Robert d'Artois, à l'autre bout de la salle, enseignait à son cousin Philippe de Valois la manière de saisir un renard sans se faire mordre.

« Sire mon époux, dit Clémence, pour l'amour de moi, accordez à votre frère la grâce qu'il sollicite de vous. Ce jourd'hui est un jour d'accordailles, et je voudrais que toutes les femmes de votre royaume en eussent partage de joie. »

Elle prenait l'affaire à cœur, avec une chaleur soudaine ; elle se sentait comme soulagée d'entendre Philippe de Poitiers parler de sa femme et exprimer le désir qu'elle rentrât au foyer.

Louis avait fortement dîné, et vidé sa coupe un peu plus souvent qu'il n'eût convenu. L'instant approchait où il allait étreindre ce beau corps calme dont il était désormais le maître. Il n'avait pas l'esprit à peser les conséquences politiques de ce qu'on lui demandait.

« Il n'est rien, ma mie, que je ne veuille faire pour vous plaire, répondit-il. Mon frère, vous pouvez reprendre Madame Jeanne et la ramener parmi nous quand il vous plaira. »

Charles de la Marche, qui avait suivi avec attention le dialogue, dit alors :

« Et pour Blanche, Sire mon frère, que décidez-vous ? M'autoriserez-vous...

— Pour Blanche, jamais ! coupa le roi.

— Seulement d'aller la visiter à Château-Gaillard, et la faire mettre en un couvent où elle aura un traitement moins dur...

— Jamais », répéta le Hutin d'un ton qui interdisait toute insistance.

Si les ressentiments de Louis à l'égard de Jeanne de Bourgogne, pour la part qu'elle avait eue dans ses infortunes conjugales, se trouvaient assez atténués par le fait même du remariage, en revanche grande était sa terreur que Blanche, sortie de forteresse et de l'isolement absolu, pût divulguer les circonstances de la mort de Marguerite. Cette crainte inspira au Hutin, pour une fois, une décision rapide et sans appel.

Clémence, jugeant sage de s'en tenir à sa première victoire, n'osa pas intervenir.

« N'aurai-je donc plus jamais le droit d'avoir épouse ? reprit Charles.

— Laissez faire le sort, mon frère », répondit Louis.

Le beau visage, mais assez mou, de Charles de la Marche prit une expression boudeuse et butée.

« Il semble que le sort favorise plus Philippe que moi. »

Et dès cet instant, Charles de la Marche conçut du ressentiment non contre son frère le roi, mais contre son frère Poitiers.

A l'issue de cette journée épuisante, la jeune reine était si lasse que les événements de la nuit se déroulèrent pour elle comme dans une autre vie. Elle n'éprouva ni effroi, ni souffrance excessive, ni particulière félicité. Elle fut simplement soumise, admettant que les choses devaient se passer ainsi. Elle entendit, avant de sombrer dans le sommeil, des mots balbutiés qui lui laissèrent espérer que son époux l'appréciait. Si elle avait été moins novice en ce domaine, elle eût compris qu'elle disposait, pour un temps au moins, d'un grand pouvoir sur Louis X.

Celui-ci, en effet, s'était émerveillé de rencontrer chez cette fille de roi une passivité consentante qu'il n'avait jusqu'alors connue que chez des servantes. L'angoisse des défaillances qui le saisissaient dans le lit de Marguerite avait disparu. Peut-être, après tout, n'était-il pas fait pour les brunes. A plusieurs reprises, il se trouva triomphant de ce beau corps qui luisait faiblement, comme nacré sous la petite lampe à huile pendue au ciel de lit, et dont son désir pouvait disposer tout à son gré. Jamais il n'avait accompli pareil exploit.

Quand il sortit de la chambre, tard dans la matinée, la tête lui tournait un peu, mais il la portait haut, et plus fièrement que s'il eût vaincu les Flamands ; sa nuit de noces avait effacé ses déboires militaires.

Pour la première fois, Louis Hutin fut capable d'affronter sans gêne les plaisanteries gaillardes de son cousin d'Artois qui passait pour le mâle le mieux pourvu et le plus endurant de la cour.

Puis, environ midi, on se remit en route vers le nord. Clémence se retourna pour emporter une dernière image de ce château où elle était devenue femme et reine, et dont elle ne parviendrait jamais à se rappeler les dimensions exactes.

Deux jours plus tard, on arrivait à Reims. Les habitants n'avaient pas vu de sacre depuis trente ans, c'est-à-dire que pour la moitié au moins de la population, le spectacle était neuf. Des officiers royaux, affairés, couraient en compagnie des échevins de la Maison de Ville à l'archevêché. Sur les places s'étaient installées toutes sortes de marchands, jongleurs et montreurs de bêtes, comme pour une foire. De grands barons, de hauts prélats, arrivés des quatre coins de France, passaient avec leurs escortes, à la recherche de leur logis. Paysans, bourgeois et petits seigneurs affluaient de la contrée avoisinante, grossissant une foule que les sergents tâchaient à contenir sur l'itinéraire pavoisé du cortège royal.

Les Rémois ne pouvaient pas imaginer qu'ils auraient l'occasion de contempler à nouveau cette grande cavalcade, et d'en payer les frais, plusieurs fois encore, dans un proche avenir.

Le roi qui ce jour-là franchissait le portail de la cathédrale de Reims était accompagné des trois successeurs que lui donnerait l'Histoire. En effet, derrière Louis X chevauchaient ses frères Philippe et Charles, ainsi que son cousin Philippe de Valois. Avant quatorze ans, la couronne se serait posée sur leurs trois têtes.

DEUXIÈME PARTIE

APRÈS LA FLANDRE,
L'ARTOIS...

I

LES ALLIÉS

De toutes les fonctions humaines, celle qui consiste à gouverner ses semblables, encore que la plus enviée, est la plus décevante, car elle n'a jamais de fin, et ne permet à l'esprit aucun repos. Le boulanger qui a sorti sa fournée, le bûcheron devant son chêne abattu, le juge qui vient de rendre un arrêt, l'architecte qui voit poser le faîte d'un édifice, le peintre une fois terminé son tableau, peuvent, pour un soir au moins, connaître cet apaisement relatif que procure un effort mené à son terme. L'homme de gouvernement, jamais. A peine une difficulté politique paraît-elle aplanie qu'une autre, qui se formait justement pendant qu'on réglait la première, exige une attention immédiate. Le général vainqueur profite longuement des honneurs de sa victoire ; mais le ministre doit affronter les nouvelles situations nées de cette victoire même. Aucun problème ne tolère de rester longtemps irrésolu, car tel qui semble aujourd'hui secondaire demain prendra une importance tragique.

L'exercice du pouvoir n'est guère comparable qu'à celui de la médecine, qui connaît également cet enchaînement sans trêve, cette primauté des urgences, cette constante surveillance de troubles bénins parce qu'ils peuvent être symptômes de lésions graves, enfin ce perpétuel engagement de la responsabilité en des domaines où la sanction dépend de circonstances futures. L'équilibre des sociétés, comme la santé des individus, n'a jamais un caractère définitif, et ne peut représenter un labeur achevé.

Le métier de roi, au temps où les rois gouvernaient eux-mêmes, comportait ces servitudes ininterrompues.

A peine Louis X était-il parvenu à mettre en sommeil les affaires de Flandre, se résignant à les laisser pourrir puisqu'il ne pouvait les résoudre, à peine avait-il couru à Reims se faire revêtir du prestige mystique que le sacre conférait au souverain, fût-il le moins aimable et le moins compétent des monarques, qu'aussitôt de nouveaux troubles éclatèrent dans le nord de la France

Les barons d'Artois, ainsi qu'ils l'avaient promis à Robert, n'avaient pas désarmé en rentrant de l'*ost boueux*. Ils parcouraient le pays avec leurs bannières, tâchant de gagner les populations à leur cause. Toute la noblesse leur était acquise et, par là, les campagnes. La bourgeoisie des villes était partagée. Arras, Boulogne, Thérouanne faisaient cause commune avec les ligueurs. Calais, Avesnes, Bapaume, Aire, Lens,

Saint-Omer demeuraient fidèles à la comtesse Mahaut. Le comté montrait une agitation fort proche de l'insurrection.

La haute noblesse était représentée dans la ligue par Jean de Fiennes, beau-frère du comte de Flandre, ce qui rendait le mouvement de révolte particulièrement inquiétant.

Pour la procédure, les conjurés disposaient d'un des leurs, Gérard Kiérez, homme fort habile à formuler les doléances, rédiger les pétitions et conduire les actions juridiques devant le Parlement et le Conseil du roi.

Les sires de Souastre et de Caumont dirigeaient les rassemblements militaires.

Tous travaillaient pour le compte et sous l'inspiration de Robert d'Artois. Leurs revendications étaient de deux sortes. D'une part, ils requeraient l'application immédiate et intégrale de la charte dont ils avaient obtenu l'octroi récemment, et qui restaurait les « coutumes » du temps de saint Louis ; d'autre part, ils réclamaient des changements de personnes dans l'administration du comté, et avant tout le renvoi du chancelier de Mahaut, Thierry d'Hirson, leur bête noire.

Leurs exigences, si elles avaient été satisfaites, eussent conduit la comtesse Mahaut à être privée de toute autorité dans son apanage, ce qu'espérait fermement Robert.

Mais Mahaut n'était pas femme à se laisser dépouiller. Rusant, discutant, promettant sans tenir, feignant de céder un jour pour tout remettre en question le lendemain, elle cherchait à gagner du temps par n'importe quel moyen. Les coutumes ? Certes, on allait appliquer les coutumes. Mais il fallait auparavant mener enquête, afin qu'on connût bien précisément quelles étaient les coutumes d'autrefois en chaque seigneurie. Les prévôts, les officiers, le chancelier lui-même ? S'ils avaient failli, ou abusé de leurs fonctions, elle les châtierait sans pitié. Pour cela aussi elle était résolue à faire enquêter... Et puis l'on portait le débat devant le roi, qui n'y comprenait rien et songeait à ses autres soucis. La comtesse Mahaut écoutait les doléances de maître Gérard Kiérez ; elle témoignait une évidente bonne volonté. Afin de s'accorder sur tout, on aurait une entrevue prochaine à Bapaume... Pourquoi Bapaume ? Parce que Bapaume était à elle, qu'elle y entretenait une garnison... Elle insistait sur Bapaume. Et puis, le jour convenu, elle ne venait pas à Bapaume, car elle avait dû se rendre à Reims pour le sacre... Le sacre passé, elle oubliait l'entrevue promise. Mais elle viendrait bientôt en Artois ; qu'on prît patience ; les enquêtes suivaient leur cours... c'est-à-dire que des sergents s'employaient à récolter, sous menace de bâton ou de prison, des témoignages favorables à l'administration du chancelier Thierry d'Hirson.

Le sang monta bientôt à la tête des barons ; ils entrèrent en rébellion ouverte et firent défense à Thierry de reparaître en Artois, le donnant pour mort s'il s'y montrait. Puis, ils mandèrent devant eux un autre Hirson, Denis, le trésorier, qui eut la sottise de se rendre à leur convocation ; lui mettant une épée sur la gorge, ils l'obligèrent à renier son frère par serment [13].

Les choses prenaient si dangereuse tournure que Louis X résolut d'aller lui-même à Arras pour rétablir l'ordre. Il y vint, mais sans résultat.

Que pouvait-il, alors qu'ayant dissous son armée
la seule bannière restée sur pied était justement
celle qui se révoltait ?

Le 19 septembre, les gens de Mahaut crurent
bon d'arrêter par surprise les sires de Souastre
et de Caumont, qu'on désignait comme les me-
neurs, et de les jeter en prison. Robert d'Artois
aussitôt courut plaider leur cause auprès du roi.

« Sire mon cousin, dit-il, je ne suis point
concerné par cette affaire ; elle regarde ma tante
Mahaut, puisque c'est elle qui gouverne le comté,
et avec le beau résultat que l'on voit. Mais si l'on
maintient en geôle Souastre et Caumont, je vous
dis que ce sera demain la guerre en Artois. Je ne
vous donne cet avis que pour le bien du royaume. »

Le comte de Poitiers tirait de l'autre côté.

« Il est peut-être malhabile d'avoir arrêté ces
deux seigneurs, mais ce serait maladresse plus
grave que de les faire relâcher à présent. Vous
allez encourager par là toute rébellion dans le
royaume ; c'est votre autorité, mon frère, que
vous laissez atteindre. »

Charles de Valois s'emporta.

« C'est assez, mon neveu, s'écria-t-il en s'adressant à Philippe de Poitiers, que de vous avoir
rendu votre femme qui justement sort de Dourdan ces jours-ci. N'allez pas déjà plaider la cause
de sa mère ! Il ne faut point demander au roi
d'ouvrir les prisons pour qui vous plaît, et de les
fermer sur qui vous déplaît.

— Je ne vois point de semblance, mon oncle,
répondit Philippe.

— Moi, je la vois ; et l'on croirait tout juste
que la comtesse Mahaut dirige vos démarches. »

Finalement, le Hutin prescrivit à Mahaut de

faire libérer les deux seigneurs. Dans le clan de la comtesse, un mauvais jeu de mots commença de circuler : « Notre Sire Louis pour l'heure est tout à la clémence. »

Souastre et Caumont, deux gaillards qui se complétaient à merveille, l'un étant fort en gueule et l'autre rude aux coups, sortirent de leur semaine de détention avec l'auréole du martyre. Le 26 septembre, ils rassemblaient à Saint-Pol tous leurs partisans, qui s'intitulaient maintenant « les alliés ». Souastre parla d'abondance, et la grossièreté de son langage autant que la violence de ses propositions emportèrent l'approbation de l'auditoire. Il fallait refuser de payer les impôts, et pendre tous les prévôts, receveurs, sergents ou représentants de la comtesse.

Le roi avait dépêché deux conseillers, Guillaume Flotte et Guillaume Paumier, pour prêcher l'apaisement et négocier une nouvelle entrevue, à Compiègne cette fois. Les alliés acceptèrent le principe de l'entrevue, mais à peine les deux Guillaume avaient-ils quitté la séance qu'un émissaire de Robert d'Artois arriva, tout suant et essoufflé d'avoir trop longtemps galopé. Il portait aux barons un simple renseignement : la comtesse Mahaut, entourant son déplacement de beaucoup de secret, arrivait elle-même en Artois ; elle serait le lendemain au manoir de Vitz, chez Denis d'Hirson.

Quand Jean de Fiennes eut rendu publique cette nouvelle, Souastre s'écria :

« Nous savons désormais, mes sires, ce que nous avons à faire. »

Les routes d'Artois résonnèrent, cette nuit-là, d'un bruit de chevauchées et de cliquetis d'armes.

II

JEANNE, COMTESSE DE POITIERS

Le grand char de voyage, tout sculpté, peint et doré, glissait entre les arbres. Il était si long qu'il fallait parfois s'y prendre en deux temps pour lui faire franchir les tournants, et les hommes d'escorte mettaient pied à terre afin de le pousser dans les raidillons.

Bien que l'énorme caisse de chêne fût posée à même les essieux, on ne sentait pas trop à l'intérieur les cahots du chemin, tant il y avait de coussins et de tapis accumulés. Six femmes y étaient installées un peu comme dans une chambre, bavardant, jouant aux osselets ou aux devinettes. On entendait bruisser les basses branches contre le cuir du toit.

Jeanne de Poitiers écarta le rideau peint des fleurs de lis et des trois châteaux d'or d'Artois.

« Où sommes-nous ? demanda-t-elle.

— Nous longeons l'Authie, Madame..., répondit Béatrice d'Hirson. Nous venons de traverser Auxi-le-Château. Avant une heure, nous serons à Vitz, chez mon oncle Denis... Il va être bien aise de vous revoir. Et peut-être Madame Mahaut y sera-t-elle déjà, avec Monseigneur votre époux. »

Jeanne de Poitiers regardait le paysage, les arbres encore verts, les prés où les paysans fauchaient un regain rare, sous un ciel ensoleillé. Comme il arrive souvent après les étés mouillés, le temps, en cette fin de septembre, s'était mis au beau.

« Madame Jeanne, je vous en prie... ne vous penchez pas ainsi à tout moment, reprit Béatrice. Madame Mahaut a recommandé que vous preniez bien garde à ne point vous montrer... lorsque nous serions en Artois. »

Mais Jeanne ne pouvait pas se contenir ! Regarder ! Elle ne faisait rien d'autre depuis huit jours qu'elle était libérée. Comme un affamé se gorge de nourriture sans croire qu'il pourra jamais se rassasier, elle reprenait par le regard possession de l'univers. Les feuilles aux arbres, les nuages légers, un clocher qui se dessinait dans le lointain, le vol d'un oiseau, l'herbe des talus, tout lui paraissait d'une exaltante splendeur.

Lorsque les portes du château de Dourdan s'étaient ouvertes devant elle, et que le capitaine de la forteresse, s'inclinant fort bas, lui avait offert ses vœux de bonne route en lui exprimant combien il s'était senti honoré de l'avoir eue pour hôte, Jeanne avait été prise d'une sorte de vertige.

« Me réhabituerai-je jamais à la liberté ? » se demanda-t-elle.

A Paris, une déception l'attendait. Sa mère avait

dû partir précipitamment pour l'Artois. Mais elle
lui avait laissé son char de voyage, ainsi que plusieurs dames de parage et de nombreuses servantes.

Tandis que tailleurs, couturières et brodeuses
se hâtaient de lui reconstituer une garde-robe,
Jeanne avait profité de cet arrêt de quelques jours
pour parcourir, en compagnie de Béatrice, la capitale. Elle s'y sentait comme une étrangère, venue
de l'autre bout du monde, et émerveillée par tout
ce qu'elle voyait. Les rues ! Elle ne se lassait pas
du spectacle des rues. Les étalages de la Galerie
mercière, les boutiques du quai des Orfèvres !...
Elle avait envie de tout palper, de tout acheter.
Encore qu'elle gardât ce maintien distant, contrô-
lé, qui avait toujours été le sien, ses yeux brillaient, son corps s'animait d'une joie sensuelle
au toucher des brocarts, des perles, des bijoux.
Et pourtant, elle ne pouvait chasser le souvenir
d'être venue, en ces mêmes boutiques, avec Marguerite de Bourgogne, Blanche, les frères d'Au-
nay...

« Je m'étais assez promis, en ma prison, si jamais j'en sortais, se disait-elle, de ne plus accorder
mon temps aux choses frivoles. D'ailleurs, je ne
m'y complaisais pas tellement naguère ! D'où me
vient cette fringale que je ne puis réprimer ? »

Elle observait les toilettes des femmes, notait
des détails nouveaux sur les coiffes, les robes et
les surcots. Elle cherchait à lire dans les yeux des
hommes l'impression qu'elle produisait. Les compliments muets qu'elle recevait, la manière dont
les jeunes gens tournaient la tête pour suivre son
passage, pouvaient la rassurer pleinement. A sa
coquetterie, elle trouvait une excuse hypocrite.

« J'ai besoin de savoir si je possède encore des charmes, pour mon époux. »

A vrai dire, ses seize mois de détention l'avaient peu marquée. Le régime de Dourdan n'était en rien comparable à celui de Château-Gaillard. Jeanne y disposait d'un logis décent, d'une servante ; elle était autorisée à lire, à broder, et même à se promener dans le verger du château. Elle s'était ennuyée, intolérablement, plus qu'elle n'avait souffert.

Sous de fausses nattes roulées autour des oreilles, son cou mince soutenait toujours avec la même grâce sa tête petite, aux pommettes hautes, aux yeux dorés et allongés vers les tempes, ces yeux qui faisaient songer, comme sa démarche, comme toute sa personne, aux blonds lévriers de Barbarie. Jeanne ressemblait bien peu à sa mère, sinon par la robustesse de la santé, et tenait plutôt, pour l'apparence, du côté du feu comte palatin qui avait été un seigneur plein d'élégance.

Maintenant qu'elle approchait du but de son voyage, Jeanne sentait croître son impatience ; ces dernières heures lui semblaient plus longues que tous les mois écoulés. Les chevaux n'avaient-ils pas diminué leur train ? Ne pouvait-on pas presser les palefreniers ?

« Ah ! à moi aussi, Madame, il tarde d'être à la halte, mais non pour les mêmes motifs que vous » disait une des dames de parage, à l'autre bout du char.

Cette personne, la dame de Beaumont, était enceinte de six mois. La route commençait à lui être pénible ; parfois, elle abaissait les yeux vers son ventre en poussant un si gros soupir que les autres femmes ne pouvaient s'empêcher d'en rire.

Jeanne de Poitiers dit à mi-voix à Béatrice :

« Es-tu bien sûre que mon époux n'a pas pris d'autre attachement pendant tout ce temps ? Ne m'as-tu pas menti ?

— Mais non, Madame, je vous l'assure... Et d'ailleurs, Mgr de Poitiers aurait-il tourné les yeux vers d'autres femmes qu'il ne pourrait plus y penser maintenant... après avoir bu ce philtre qui va vous le rendre tout entier. Voyez, c'est lui qui a demandé au roi votre retour... »

« Et même s'il a une maîtresse, qu'importe, je m'en accommoderai. Un homme, même partagé, vaut mieux que la prison », pensait Jeanne. De nouveau, elle écarta le rideau comme si cela devait activer l'allure.

« De grâce, Madame, dit Béatrice, ne vous montrez point tant... On ne nous aime guère en ce moment par ici.

— Pourtant les gens semblent bien affables. Ces manants qui nous saluent n'ont-ils pas une mine avenante ? » répondit Jeanne.

Elle laissa retomber le rideau. Elle ne vit pas qu'aussitôt le char passé, trois paysans, qui venaient de la saluer bien bas, rentraient en courant dans le sous-bois pour y détacher des chevaux et partir au galop.

Un moment après, le char pénétra dans la cour du manoir de Vitz ; l'impatience de la comtesse de Poitiers eut à subir là une nouvelle épreuve. Denis d'Hirson, en l'accueillant, lui apprit que ni la comtesse d'Artois ni le comte de Poitiers n'étaient venus, et qu'ils l'attendaient au château d'Hesdin, à dix lieues plus au nord. Jeanne pâlit.

« Que signifie ceci ? demanda-t-elle en aparté à

Béatrice. Ne dirait-on pas une dérobade pour ne
point me voir ? »

Et une brusque angoisse lui vint. Tout ce voyage, et la pinte de sang tirée de son bras, le philtre,
les civilités du gardien de Dourdan, n'étaient-ils
pas les éléments d'une comédie montée où Béatrice jouait la mauvaise larronne ? Jeanne, après
tout, n'avait aucune preuve que son mari l'eût
vraiment réclamée. N'était-on pas en train simplement de la conduire d'une prison dans une
autre, tout en entourant ce transfert, pour de mystérieuses raisons, des apparences de la liberté ? A
moins, à moins... et Jeanne frémissait d'envisager
le pire... qu'on n'eût pris la précaution de la montrer, à Paris, libre et graciée, pour ensuite la faire
impunément disparaître. Béatrice ne lui avait pas
caché que Marguerite était morte dans des condi-
tions fort suspectes. Jeanne se demandait si elle
n'allait pas subir un sort semblable.

Elle apprécia peu le repas que Denis d'Hirson
lui offrit. L'état de bonheur qu'elle connaissait
depuis huit jours avait fait place brusquement à
une atroce anxiété, et elle cherchait à lire son
destin sur les visages qui l'entouraient. Béatrice,
la voix traînante et toujours vaguement ironique,
était impénétrable. Son oncle le trésorier, lui, parlait à peine, répondait de travers aux questions et
montrait tous les signes de la préoccupation. Il
y avait là deux seigneurs, les sires de Licques et
de Nédonchel, qui avaient été présentés à Jeanne
comme ses escorteurs jusqu'à Hesdin. Elle leur
trouvait la mine peu avenante. N'étaient-ils pas
chargés d'une sinistre besogne à quelque tournant
de route ?

Nul, s'adressant à Jeanne, ne faisait allusion à

sa détention ; tout le monde affectait d'ignorer qu'elle eût jamais été en prison, et cela même ne la rassurait guère. Les conversations, auxquelles elle ne comprenait rien, roulaient uniquement sur la situation en Artois, sur les coutumes, sur l'entrevue de Compiègne proposée par les envoyés du roi, sur les troubles.

« N'avez-vous point remarqué, Madame, d'agitation sur votre chemin, ni de rassemblement d'hommes en armes ? demanda Denis d'Hirson à Jeanne.

— Je n'ai rien vu de tel, messire Denis, répondit-elle, et les campagnes m'ont paru fort calmes.

— On m'a pourtant signalé des mouvements ; deux de nos prévôts ont été attaqués ce matin. »

Jeanne inclinait de plus en plus à croire que toutes ces paroles n'avaient d'autre objet que d'endormir sa méfiance. Il lui semblait qu'un filet invisible se resserrait. Elle se sentait seule, abominablement seule...

La dame enceinte mangeait avec une extraordinaire gloutonnerie et continuait à pousser de gros soupirs en regardant son ventre.

Le sire de Nédonchel, homme aux longues dents, au visage jaune et aux épaules voûtées, disait :

« La comtesse Mahaut, je vous assure, messire Denis, sera forcée de céder. Usez de votre empire sur elle. Qu'elle cède, au moins en partie. Qu'elle renonce à votre frère, si dur qu'il nous soit de vous le dire, ou qu'elle feigne d'y renoncer, car jamais les alliés ne voudront traiter tant qu'il sera chancelier. Le sire de Licques et moi-même risquons gros à demeurer fidèles à la comtesse, tout en faisant mine d'agir avec les autres barons. Plus elle attend, plus son neveu Robert gagne sur les esprits. »

A ce moment, un sergent, nu-tête et hors d'haleine, pénétra dans la salle du repas.

« Qu'y a-t-il, Cornillot ? » demanda Denis d'Hirson.

Le sergent Cornillot chuchota quelques phrases hachées à l'oreille de Denis d'Hirson. Celui-ci devint blême, rabattit la nappe qui lui couvrait les genoux, sauta de son banc.

« Un moment, mes seigneurs, il me faut aller voir... »

Et il s'enfuit à toutes jambes par une des petites portes de la salle, suivi de Cornillot qui lui collait aux chausses. Leurs pas précipités décrurent dans un escalier.

L'instant d'après, alors que les convives n'étaient pas encore revenus de leur surprise, une grande clameur monta de la cour. On eût dit qu'une armée entière venait d'y entrer au galop. Un chien, qui avait dû recevoir un coup de sabot, hurlait à la mort. Licques et Nédonchel coururent aux fenêtres, tandis que les femmes d'escorte de la comtesse de Poitiers se tassaient dans un coin de la pièce comme un troupeau de pintades. Auprès de Jeanne, seules étaient restées Béatrice et la dame enceinte dont le visage avait pris une mauvaise couleur.

Béatrice joignit les mains ; elle tremblait. Jeanne comprit qu'elle n'était certainement pas de connivence avec les assaillants. Mais cela ne rendait pas la situation plus gaie et, de toute manière, le temps manquait pour penser.

La porte vola plutôt qu'elle ne s'ouvrit, et une vingtaine de barons, conduits par Souastre et Caumont, entrèrent l'épée au poing, en hurlant :

« Où est le traître, où est le traître ? Où se cache-t-il ? »

Ils s'arrêtèrent, un peu hésitants devant le spectacle qui s'offrait à eux. Ils avaient plusieurs motifs de surprise. D'abord, l'absence de Denis d'Hirson, qu'ils étaient sûrs de trouver là et qui venait de disparaître comme derrière le voile d'un enchanteur. Et puis ce groupe de femmes jacassantes ou pâmées, se serrant les unes contre les autres et qui se voyaient déjà promises à un viol général. Enfin et surtout la présence de Licques et de Nédonchel. L'avant-veille encore, à Saint-Pol, ces deux chevaliers étaient du nombre des conjurés, et voici qu'on les découvrait attablés dans une maison du camp adverse.

Les transfuges furent copieusement insultés ; on leur demanda combien ils touchaient pour leur parjure, s'ils s'étaient vendus aux Hirson pour trente deniers ; et Souastre appliqua son gantelet de fer sur la longue face jaune de Nédonchel, qui se mit à saigner de la bouche.

Licques s'efforçait de s'expliquer, de se justifier.

« Nous étions venus plaider votre cause ; nous voulions éviter des morts et des ravages inutiles. Nous étions près d'obtenir par paroles mieux que vous par vos épées. »

On le contraignit à se taire en l'accablant d'injures. Dans la cour, les autres alliés continuaient de mener tapage. Ils n'étaient pas moins d'une centaine.

« Ne dites pas mon nom, souffla Béatrice à la comtesse de Poitiers, car c'est à ma famille qu'ils en ont. »

La dame enceinte eut une crise de nerfs et s'écroula sur son banc.

« Où est la comtesse Mahaut ?... criaient les barons. Il faudra bien qu'elle nous entende !... Nous
savons qu'elle se trouve ici, nous avons suivi son
char... »

Les choses commençaient à s'éclaircir pour
Jeanne. Ce n'était pas à sa vie, spécialement, que
les braillards en voulaient. Son premier mouvement de frayeur passé, la colère lui vint à la
gorge ; le sang des d'Artois se réveillait en elle.

« Je suis la comtesse de Poitiers, s'écria-t-elle,
et le char que vous avez vu me transportait. J'ap-
précie peu qu'on pénètre avec tant de fracas dans
le lieu où je suis. »

Comme les insurgés ignoraient qu'elle fût sortie
de prison, cette annonce imprévue les rendit un
moment silencieux. Ils allaient décidément de
surprise en surprise.

« Voulez-vous me dire vos noms, reprit Jeanne,
car j'ai coutume de ne parler qu'aux gens qui me
sont nommés, et j'ai peine à savoir qui vous êtes
sous vos harnois de guerre.

— Je suis le sire de Souastre, répondit le me-
neur aux gros sourcils roux, et celui-ci est mon
compaing Caumont. Et voici Mgr Jean de Fiennes, et messire de Saint-Venant, et messire de
Longvillers ; nous cherchons la comtesse Mahaut...

— Comment ? coupa Jeanne. Je n'entends que
noms de gentilshommes ! Je ne l'aurais point cru
à votre manière d'en user avec des dames qu'il
vous conviendrait de protéger et non d'assaillir.
Voyez Mme de Beaumont qui est grosse presque
à mettre bas, et que vous venez de faire pâmer.
N'en avez-vous point honte ? »

Un flottement se dessina parmi les alliés. Jeanne
était belle, et sa manière de tenir tête leur en impo-

sait. Et puis, elle était la belle-sœur du roi et paraissait revenue en grâce. Jean de Fiennes, le mieux né et le plus important de ces seigneurs, se souvenait d'avoir vu Jeanne, naguère, à la cour. Il l'assura qu'ils ne lui voulaient aucun mal ; leur expédition ne visait que Denis d'Hirson, parce qu'il avait juré qu'il reniait son frère et ne tenait pas son serment.

En vérité, ils avaient espéré prendre Mahaut dans un piège et la contraindre par la force. Pour se venger de leur déconvenue, ils mirent la maison au pillage.

Pendant une heure, le manoir de Vitz résonna du fracas des portes claquées, de l'éventrement des meubles et de bris des vaisselles. On arrachait des murs tapisseries et tentures ; on raflait l'argenterie sur les crédences.

Puis, un peu calmés mais toujours menaçants, les insurgés firent remonter Jeanne et ses femmes dans le grand char doré ; Souastre et Caumont prirent le commandement de l'escorte, et le char, environné d'un bruissement d'acier, s'engagea sur la route d'Hesdin.

Les alliés, de cette façon, étaient sûrs maintenant de parvenir jusqu'à la comtesse d'Artois.

A la sortie du bourg d'Ivergny, distant d'environ une lieue, un arrêt se produisit. Quelques alliés, lancés à la recherche de Denis d'Hirson, venaient de le rattraper au moment où il essayait de franchir l'Authie en traversant les marécages. Il apparut crotté, battu, saignant, enchaîné, et titubant entre deux barons à cheval.

« Que vont-ils lui faire ? Que vont-ils lui faire ? murmura Béatrice. Dans quel état l'ont-ils mis ! »

Et elle commença de prononcer à voix basse de

mystérieuses prières qui n'avaient de sens ni en latin ni en français.

Après quelques palabres, les barons décidèrent de le garder comme otage, en l'enfermant dans un château voisin. Mais leur fureur meurtrière avait besoin d'une victime.

Le sergent Cornillot avait été pris en même temps que Denis. Or, ce même Cornillot, pour son malheur, avait participé quelque temps auparavant à l'arrestation de Souastre et de Caumont. Ceux-ci le reconnurent et les alliés exigèrent qu'on lui réglât son compte sur-le-champ. Mais il fallait que sa mort servît d'exemple et donnât à réfléchir à tous les sergents de Mahaut. Certains préconisaient la pendaison ; d'autres voulaient que Cornillot fût roué, d'autres encore qu'il fût enterré vif. Dans une grande émulation de cruauté, on discutait devant lui de la manière dont on allait le tuer, tandis qu'à genoux, le visage en sueur, le sergent braillait son innocence et suppliait qu'on l'épargnât.

Souastre trouva une solution qui mit tout le monde d'accord, sauf le condamné.

On alla chercher une échelle. On hissa Cornillot dans un arbre où on le lia par les aisselles ; puis, quand il eut gigoté un bon moment pour la joie des barons, on coupa la corde et on le laissa tomber sur le sol. Le malheureux, les jambes brisées, hurla tout le temps qu'on creusa sa tombe. On l'enterra debout, sa tête seule émergeant où roulaient des yeux fous.

Le char de la comtesse de Poitiers attendait toujours au milieu du chemin, et les dames d'escorte se bouchaient les oreilles pour ne pas entendre les cris du supplicié. La comtesse de Poitiers se sentait défaillir mais n'osait intervenir, de peur que la colère des alliés ne se retournât contre elle.

Enfin, Souastre tendit sa grande épée à l'un de ses valets d'armes. La lueur de la lame brilla au ras du sol et la tête du sergent Cornillot roula sur l'herbe, tandis qu'un flot de sang, jailli comme d'une rouge fontaine, arrosait à l'entour la terre meuble.

Au moment où le char se remit en route, la dame enceinte fut prise de douleurs ; elle commença de hurler, en se renversant en arrière. On sut aussitôt qu'elle n'irait pas au terme de sa grossesse.

LE SECOND COUPLE DU ROYAUME

HESDIN était une importante forteresse à trois enceintes, entrecoupée de fossés, hérissée de tours flanquantes, truffée de bâtiments, d'écuries, de greniers, de resserres, et reliée par plusieurs souterrains à la campagne environnante. Une garnison de huit cents archers pouvait y tenir à l'aise. A l'intérieur de la troisième cour se trouvait la résidence principale des comtes d'Artois, composée de divers corps de logis somptueusement meublés.

« Tant que j'aurai cette place, avait coutume de dire Mahaut, mes méchants barons ne viendront pas à bout de moi. Ils s'useront bien avant que mes murs n'aient cédé, et mon neveu Robert se leurre s'il pense que jamais je le laisserai s'emparer d'Hesdin.

— Hesdin m'appartient de droit et d'héritage,

déclarait de son côté Robert d'Artois ; ma tante Mahaut me l'a volé comme tout mon comté. Mais je ferai tant que je le lui reprendrai. »

Lorsque les alliés, escortant le char de Jeanne de Poitiers, et portant au bout d'une pique la tête du sergent Cornillot, parvinrent à la nuit tombante devant la première enceinte, leur nombre s'était réduit sensiblement. Le sire de Journy, prétextant qu'il devait surveiller la rentrée de son regain, avait quitté le cortège, imité bientôt du sire de Givenchy récemment marié et qui craignait que sa jeune femme ne s'ennuyât ou ne s'inquiétât. D'autres, dont les manoirs se voyaient de la route, avaient choisi d'aller souper chez eux, entraînant leurs meilleurs amis et assurant qu'ils rejoindraient tout à l'heure. Les obstinés n'étaient plus guère qu'une trentaine qui chevauchaient depuis de longs jours et se sentaient un peu las du poids de leurs vêtements d'acier.

Ils eurent à parlementer un bon moment avant qu'on ne leur permît de franchir le premier corps de garde. Puis, ils durent attendre encore, et Jeanne de Poitiers au milieu d'eux, entre la première et la seconde enceinte.

La nouvelle lune s'était levée dans un ciel encore clair. Mais l'ombre s'épaississait au fond des cours d'Hesdin. Tout était tranquille, trop tranquille même, au goût des barons. Ile s'étonnaient de voir si peu d'hommes d'armes. Un cheval au fond d'une écurie hennit, ayant flairé la présence d'autres chevaux.

La fraîcheur du soir s'installait, où Jeanne reconnaissait des parfums d'enfance. Mme de Beaumont, dans le char, continuait à gémir qu'elle se mourait. Les barons discutaient entre eux. Certains estimaient qu'ils en avaient assez fait pour le moment, que l'affaire commençait à sentir le traquenard, et que l'on aurait avantage à revenir en force, un autre jour. Jeanne vit l'instant où elle allait être emmenée, elle aussi, en otage.

Enfin, le deuxième pont-levis s'abaissa, puis le troisième. Les barons hésitaient.

« Es-tu bien sûre que ma mère soit ici ? souffla Jeanne à Béatrice d'Hirson.

— Je vous le jure sur ma vie, Madame. »

Alors Jeanne pencha la tête hors du char.

« Eh bien ! Messeigneurs, dit-elle, avez-vous perdu la hâte que vous montriez de parler à votre suzeraine, et le courage vous manque-t-il au moment de l'approcher ? »

Ces paroles poussèrent les barons en avant et, pour ne pas démériter aux regards d'une femme, ils entrèrent dans la troisième cour où ils mirent pied à terre.

Si préparé qu'on soit à un événement, il est rare qu'il survienne de la manière qu'on attendait.

Jeanne de Poitiers avait envisagé de vingt façons le moment où elle se retrouverait en présence des siens. Elle s'était apprêtée à tout, à l'accueil glacial comme aux embrassements, à la grande scène de réhabilitation officielle comme à l'intime réunion de réconciliation. Pour chaque éventualité, elle avait construit son attitude et prévu ses paroles. Mais jamais elle n'avait imaginé qu'elle rentrerait au château de famille escortée du désordre de la guerre civile et d'une dame de parage en train de faire une fausse-couche.

Lorsque Jeanne pénétra dans la grand-salle éclairée aux cierges où la comtesse Mahaut, debout, bras croisés, lèvres serrées, regardait s'avan-

cer les barons, ses premiers mots furent pour
dire :

« Ma mère, il faut donner secours à madame
de Beaumont qui est en train de perdre son fruit.
Vos vassaux lui ont causé trop violente peur. »

Aussitôt, la comtesse chargea sa filleule Mahaut
d'Hirson, une sœur de Béatrice qui était également de ses demoiselles de parage, d'aller querir
maître Hermant et maître Pavilly, ses physiciens
particuliers, pour qu'ils portassent leurs soins à
la malade.

Puis, retroussant ses manches et s'adressant aux
barons :

« Sont-ce là, méchants sires, des actions de
chevalerie, que de vous en prendre à ma noble
fille et aux dames de sa suite, et croyez-vous ainsi
me faire fléchir ? Aimeriez-vous qu'on en usât de
même avec vos femmes et vos pucelles lorsqu'elles
cheminent par les routes ? Allons, répondez, et
dites-moi quelle est l'excuse à vos forfaits, pour
lesquels je demanderai punition au roi ! »

Les alliés poussèrent Souastre en avant.

« Parle ! Dis ce que tu dois... »

Souastre toussa pour s'éclaircir la gorge. Il avait
tant parlé, vitupéré, crié ses griefs, harangué ses
partisans, que maintenant, au moment le plus important, la voix lui manquait.

« Or çà, Madame, commença-t-il d'un ton enroué,
nous voulons savoir si vous allez enfin désavouer
votre mauvais chancelier qui étouffe nos requêtes, et consentir à nous reconnaître nos coutumes comme elles étaient du temps de saint
Louis... »

Il s'interrompit parce qu'un nouveau personnage entrait dans la pièce, et que ce personnage

LES POISONS DE LA COURONNE

était le comte de Poitiers. La tête un peu inclinée
vers l'épaule, il avançait à longs pas tranquilles.
Les barons, qui ne s'attendaient pas à voir surgir
ainsi le frère du roi, se tassèrent les uns contre
les autres.

« Messeigneurs... », dit le comte de Poitiers.

Il s'arrêta, ayant aperçu Jeanne.

Il vint à elle et la baisa sur la bouche, de la
façon la plus naturelle du monde, devant toute
l'assistance, pour bien prouver par là que sa
femme était pleinement revenue en grâce et que
donc les intérêts de Mahaut étaient pour lui affaires de famille.

« Alors, Messeigneurs, reprit-il, vous voici mé-
contents. Eh bien ! nous aussi. Alors si nous nous
entêtons de part et d'autre, et usons de violence,
nous n'arriverons à rien de profitable... Ah ! je
vous reconnais, Bailliencourt ; vous étiez à l'ost...
La violence, c'est le recours des gens qui ne savent
pas penser.... Je vous salue, Caumont... Ah ! mon
cousin de Fiennes ! Je n'attendais pas votre visite
en telle compagnie... »

En même temps, il passait parmi eux, les dévi-
sageant, s'adressant nommément à ceux qu'il avait
déjà eu l'occasion de voir, et leur tendant la main,
à plat, pour qu'ils y posassent leurs lèvres, en
signe d'hommage.

« Si la comtesse d'Artois voulait vous châtier
des mauvais usages que vous venez d'avoir envers
elle, cela lui serait facile... Messire de Souastre,
regardez par cette fenêtre et dites-moi si vous
auriez chance d'échapper ? »

Quelques alliés se portèrent aux fenêtres ; les
murs s'étaient garnis de casques qui se décou-
paient sur le crépuscule. Une compagnie d'archers

s'installait dans la cour, et des sergents se tenaient prêts, au premier signe, à remonter les ponts et à faire choir les herses.

« Fuyons, s'il en est temps, murmurèrent certains.

— Mais non, Messeigneurs, ne fuyez pas ; votre fuite ne vous mènerait pas plus loin que le second mur. Encore une fois, je vous dis que nous voulons éviter la violence, et je prie votre suzeraine de ne point user des armes contre vous. N'est-ce pas, ma mère ? »

La comtesse Mahaut approuva d'un bref signe de tête.

« Tentons de résoudre autrement nos différends », poursuivit le comte de Poitiers en s'asseyant.

Il convia les barons à en faire autant, et demanda qu'on leur servît à boire.

Comme il n'y avait pas assez de sièges pour tous, quelques-uns s'assirent à même le sol. Cette alternance de menaces et de courtoisie les désorientait.

Philippe de Poitiers leur parla longuement. Il leur démontra que la guerre civile n'apportait que le malheur, qu'ils étaient sujets du roi avant que d'être sujets de la comtesse, et qu'ils devaient se soumettre à l'arbitrage du souverain. Or, celui-ci avait envoyé deux émissaires, messires Flotte et Paumier, avec mission de conclure une trêve. Pourquoi les alliés refuseraient-ils la trêve ?

« Mes compagnons n'ont plus confiance en la comtesse Mahaut, répondit Jean de Fiennes.

— La trêve vous était demandée au nom du roi ; c'est donc au roi que vous faites affront, en doutant de sa parole.

— Mais Mgr Robert nous avait assuré..., dit Souastre.

— Ah ! J'attendais bien cela ! Prenez garde, mes bons sires, à ne pas trop écouter les avis de Mgr Robert qui parle un peu facilement au nom du roi, et vous fait travailler pour son compte. Notre cousin d'Artois a perdu sa cause contre Mme Mahaut depuis six années, et le roi mon père, dont Dieu garde l'âme, en a jugé lui-même. Ce qui se passe en ce comté ne regarde que vous, la comtesse et le roi. »

Jeanne de Poitiers observait son mari. Elle entendait avec bonheur le timbre égal de sa voix ; elle prenait plaisir à reconnaître cette façon qu'il avait de brusquement relever les paupières, pour ponctuer ses phrases, et cette nonchalance de l'attitude qui n'était que force dissimulée. Philippe paraissait mûri. Ses traits s'étaient accusés ; son grand nez maigre se découpait davantage ; son visage avait pris une structure définitive. En même temps, Philippe semblait avoir acquis une singulière autorité comme si, depuis la mort de son père, une partie de la majesté naturelle du défunt fût passée en lui.

Au bout d'une grande heure employée à parlementer, le comte de Poitiers obtint ce qu'il voulait, ou du moins ce qui se pouvait raisonnablement obtenir. Denis d'Hirson serait libéré ; Thierry, provisoirement, ne reparaîtrait pas en Artois, mais l'administration de la comtesse resterait en place, jusqu'à la fin des enquêtes. La tête du sergent Cornillot serait remise aux siens pour recevoir une sépulture chrétienne...

« Car, dit le comte de Poitiers, c'est se conduire en mécréants et non en défenseurs de la vraie foi que d'agir comme vous l'avez fait. De telles actions ouvrent la voie à des œuvres de vindicte dont vous seriez bientôt victimes à votre tour. »

Les sires de Licques et de Nédonchel ne subiraient aucunes représailles, car ils n'avaient voulu que le bien de tous. Les dames et demoiselles seraient respectées de part et d'autre, comme il se devait en terre de chevalerie. Et puis, tout le monde se retrouverait à Arras au bout de la quinzaine, c'est-à-dire le 7 octobre, afin de conclure une trêve jusqu'à la fameuse conférence de Compiègne, tant de fois repoussée, et que l'on fixait cette fois au 15 novembre. Si les deux Guillaume, Flotte et Paumier, ne réussissaient pas à accorder les souhaits des barons et les désirs du roi, on verrait à envoyer d'autres négociateurs.

« Il n'est point besoin de signer rien aujourd'hui ; je fais confiance, Messeigneurs, à votre parole, dit le comte de Poitiers. Vous êtes hommes de raison et d'honneur ; je sais bien que vous, Fiennes, et vous, Souastre, et vous, Loos, et tous, tant que vous êtes, aurez à cœur de ne pas me décevoir, et de ne point me laisser m'engager en vain auprès du roi. Et vous saurez faire entendre sagesse à vos amis afin qu'ils respectent nos conventions. »

Il les avait si bien manœuvrés qu'ils partirent en le remerciant, comme s'ils avaient trouvé en lui un défenseur. Ils reprirent leurs chevaux, franchirent les trois ponts-levis et s'enfoncèrent dans la nuit.

« Mon cher fils, dit Mahaut, vous m'avez sauvée. Je n'aurais pas su montrer tant de patience.

— Je vous ai gagné un répit de quinze jours, dit

Philippe en haussant les épaules. Les coutumes de saint Louis ! Ils commencent à me lasser, tous, avec les coutumes de saint Louis ! On croirait que mon père n'a jamais vécu. Faut-il donc toujours, quand un grand roi a fait progresser le royaume, qu'il se trouve des sots pour s'obstiner à revenir en arrière ? Et mon frère les encourage !

— Ah ! quelle pitié, Philippe, que vous ne soyez roi ! » dit Mahaut.

Philippe ne répondit pas ; il regardait sa femme. Celle-ci, maintenant que ses frayeurs étaient dissipées et qu'elle touchait au terme de tant de mois d'espérance, sentait soudain toute force se retirer d'elle et luttait contre les larmes.

Pour cacher son trouble, elle allait à travers la pièce, reprenant contact avec les lieux de sa jeunesse. Mais chaque objet reconnu augmentait son émotion. Elle touchait l'échiquier de jaspe et calcédoine sur lequel elle avait appris à jouer.

« Tu vois, rien n'est changé, dit Mahaut.

— Non, rien n'est changé », répéta Jeanne, la gorge serrée.

Elle se détourna vers la librairie, l'une des plus riches du royaume, en dehors des librairies de monastères, et qui contenait douze volumes. Jeanne caressa du doigt les reliures... *Les Enfances d'Ogier*, la *Bible* en français, *La Vie des Saints*, *Le Roman de Renart*, *Le Roman de Tristan*... Elle avait tant de fois regardé, en compagnie de sa sœur Blanche, les belles enluminures peintes sur les feuilles de parchemin ! Et l'une des dames de Mahaut leur faisait la lecture.

« Celui-ci, tu le connaissais... oui, je l'avais déjà acheté », dit Mahaut en montrant *Le Roman de la Violette*.

Elle cherchait à dissiper la gêne qui les gagnait tous trois.

A ce moment, le nain de Mahaut, qu'on appelait Jeannot le Follet, entra, tenant le cheval de bois sur lequel il était censé caracoler à travers la demeure. Agé de plus de quarante ans, il avait une tête large avec de gros yeux de chien et un petit nez camus. Il arrivait tout juste à la hauteur des tables ; on le vêtait d'une robe brodée de « bestelettes ».

Lorsqu'il aperçut Jeanne, il eut un grand saisissement ; sa bouche s'ouvrit, mais sans rien prononcer ; et au lieu d'avancer en faisant des cabrioles comme c'était son devoir, il courut précipitamment vers la jeune femme et s'aplatit au sol pour lui baiser les pieds.

La résistance de Jeanne, son contrôle sur elle-même, cédèrent d'un coup. Brusquement, elle se mit à sangloter, se tourna vers le comte de Poitiers, vit qu'il lui souriait, et se jeta dans ses bras en balbutiant :

« Philippe !... Philippe !... Enfin, je vous ai retrouvé ! »

La dure comtesse Mahaut éprouva un petit pincement au cœur parce que sa fille s'était élancée vers son mari, et non vers elle, pour pleurer de bonheur.

« Mais que souhaitais-je d'autre ? pensa Mahaut. Allons, c'est cela le plus important, j'ai réussi. »

« Philippe, votre femme est lasse, dit-elle. Conduisez-la dans vos appartements. On vous y montera votre souper. »

Et comme ils passaient près d'elle, elle ajouta, plus bas :

« Je vous avais bien dit qu'elle vous aimait. »

Elle les contempla tandis qu'ils passaient la porte. Puis elle fit signe à Béatrice d'Hirson de les suivre, discrètement.

Plus tard, dans la nuit, alors que la comtesse Mahaut, pour réparer ses fatigues, avalait au lit son sixième et dernier repas, Béatrice entra, un demi-sourire aux lèvres.

« Alors ? dit Mahaut.

— Alors, Madame, le philtre a bien eu l'effet que nous en attendions. A présent, ils dorment. »

Mahaut se renversa un peu sur ses oreillers.

« Dieu soit loué, dit-elle. Nous avons refait le second couple du royaume. »

IV

L'AMITIÉ D'UNE SERVANTE

ET quelques semaines passèrent, qui furent à peu près calmes pour l'Artois. Les parties adverses se retrouvèrent à Arras, puis à Compiègne, et le roi promit de rendre son arbitrage avant la Noël. Les alliés, provisoirement apaisés, rentrèrent en leurs châteaux sombres.

Les champs étaient noirs et déserts, les brebis bêlaient au fond des bergeries. Les aubes de décembre, fumeuses, ressemblaient à des feux de bois vert.

Au manoir de Vincennes, entouré par la forêt, la reine Clémence découvrait l'hiver de France.

L'après-midi, la reine brodait. Elle avait entrepris une grande nappe d'autel qui figurait le paradis. Les élus s'y promenaient sous un ciel uniformément bleu, parmi les citronniers et les orangers ; paradis bien proche des jardins de Naples.

« On n'est pas reine pour être heureuse », pensait souvent Clémence, se répétant les paroles de sa grand-mère Marie de Hongrie. Non qu'elle fût malheureuse à proprement parler ; elle n'avait aucune raison de l'être. « Je suis injuste, se disait-elle, de ne point remercier à tout instant le Créateur de ce qu'il m'a donné. » Elle ne pouvait comprendre la raison d'une lassitude, d'une mélancolie, d'un ennui qui, jour après jour, s'appesantissaient sur elle.

N'était-elle pas environnée de mille soins ? Six dames de parage, choisies parmi les plus nobles femmes du royaume, et d'innombrables servantes se relayaient auprès d'elle pour exécuter ses moindres désirs, prévenir ses moindres gestes, porter son missel, préparer son aiguille, tenir son miroir, la coiffer, la couvrir d'un manteau sitôt que la température fraîchissait...

Plusieurs chevaucheurs avaient pour seule mission de courir entre Naples et Vincennes, afin d'acheminer la correspondance qu'elle échangeait avec sa grand-mère, avec son oncle le roi Robert et tous ses parents.

Clémence disposait de quatre haquenées blanches, harnachées de freins d'argent et de rênes de soie tissées de fils d'or ; et, pour les longs déplacements, on lui avait offert un grand chariot de voyage si beau, si riche, avec ses roues flamboyantes comme des soleils que celui de la comtesse Mahaut, à côté, semblait tout juste un char à foin.

Louis n'était-il pas le meilleur époux de la terre ?

Parce que Clémence avait dit en visitant Vincennes que ce château lui plaisait et qu'elle aimerait y vivre, Louis aussitôt avait décidé de s'y installer à demeure. De nombreux seigneurs, imitant le roi, s'organisaient résidence dans les parages. Et Clémence, qui n'avait pas imaginé ce que serait l'hiver à Vincennes, n'osait avouer maintenant qu'elle eût préféré regagner Paris.

Vraiment, le roi la comblait. Il ne se passait de jour qu'il ne lui portât un nouveau présent.

« Je veux, ma mie, lui avait-il dit, que vous soyez la dame la mieux pourvue du monde. »

Mais avait-elle besoin de trois couronnes d'or, l'une incrustée de dix gros rubis balais, l'autre de quatre grandes émeraudes, de seize petites et de quatre-vingts perles, et la troisième avec encore des perles, encore des émeraudes, encore des rubis ?

Pour sa table, Louis lui avait acheté douze hanaps de vermeil émaillés, aux armes de France et de Hongrie. Et parce qu'elle était pieuse et qu'il admirait fort sa dévotion, il lui avait offert un reliquaire, d'un prix de huit cents livres, et contenant un fragment de la Vraie Croix. C'eût été décourager tant de bon vouloir que de dire à son époux qu'on pouvait aussi bien faire sa prière au milieu d'un jardin, et que le plus bel ostensoir du monde, en dépit de tout l'art des orfèvres et de toute la fortune des rois, c'était encore le soleil brillant dans un ciel bleu au-dessus de la mer.

Le mois précédent, Louis lui avait fait don de terres qu'elle irait visiter à une meilleure saison, les maisons et manoirs de Mainneville, Hébécourt, Saint-Denis de Fermans, Wardes et Dampierre, les forêts de Lyons et de Bray [14].

« Pourquoi, mon doux seigneur, lui avait-elle demandé, vous déposséder de tant de biens en

ma faveur, puisque de toute manière, je ne suis
que votre servante, et n'en puis profiter qu'à travers vous.

— Je ne m'en dépossède point, avait répondu
Louis. Toutes ces seigneuries appartenaient à Marigny, à qui par jugement je les ai reprises, et j'en
puis disposer comme il me plaît. »

En dépit de la répugnance qu'elle avait à hériter
les biens d'un pendu, pouvait-elle les refuser alors
qu'ils lui étaient présentés comme dons d'amour,
et que cet amour, le roi tenait à le proclamer dans
l'acte même de donation « *pour la joyeuse et
agréable compagnie que Clémence nous porte
humblement et amiablement...* » ?

Et il lui avait encore accordé en propriété les
maisons de Corbeil et de Fontainebleau. Chaque
nuit qu'il passait auprès d'elle semblait valoir un
château. Ah oui ! messire Louis l'aimait bien. Jamais, en sa présence, il ne s'était montré hutin, et
elle ne comprenait pas comment ce surnom lui
était venu. Jamais de querelle entre eux, jamais
de violence. Dieu, vraiment, lui avait donné un
bon époux.

Et malgré tout, Clémence s'ennuyait, et soupirait en tirant les fils d'or de ses citrons brodés.

Elle avait fait effort, vainement, pour s'intéres-
ser aux affaires d'Artois dont Louis, parfois, le
soir, discourait tout seul devant elle en marchant
à travers la chambre.

Elle était effrayée par les grandes apostrophes
de Robert d'Artois, et la manière dont il lui criait :
« ma cousine ! » comme s'il arrêtait sa meute ; cet
homme-là, pour elle, restait avant tout un étran-
gleur de renards. Elle était agacée par Mgr de Valois, qui souvent lui disait :

« Alors, ma nièce, quand donc donnerez-vous un héritier au royaume ?

— Quand Dieu voudra, mon oncle », répondait-elle doucement.

En fait, elle n'avait pas d'amis. Elle sentait, parce qu'elle était fine et sans vanité, que toute marque d'affection qu'on lui témoignait était intéressée. Elle apprenait que les rois ne sont jamais aimés pour eux-mêmes, et que les gens, en s'agenouillant devant eux, cherchent toujours à ramasser sur le tapis quelque miette de puissance.

« On n'est pas reine pour être heureuse ; il se peut même que d'être reine empêche qu'on soit heureuse », se répétait Clémence l'après-midi où Mgr de Valois, le pas toujours pressé, entra chez elle et lui dit :

« Ma nièce, je vous porte une nouvelle qui va fort agiter la cour. Votre belle-sœur Madame de Poitiers est grosse. Les matrones l'ont certifié ce matin.

— Je suis fort aise pour Madame de Poitiers, répondit Clémence.

— Elle peut vous avoir reconnaissance, reprit Charles de Valois, car c'est bien à vous qu'elle doit son état d'à présent. Si vous n'aviez point demandé son pardon le jour de vos épousailles, je doute fort que Louis l'eût si vite accordé.

— Dieu me prouve donc que j'ai bien fait, puisqu'il vient de bénir cette union.

— Il semble que Dieu bénisse moins rapidement la vôtre. Quand donc vous déciderez-vous, ma nièce, à suivre l'exemple de votre belle-sœur ? Il est dommage en vérité qu'elle vous ait devancée. Allons, Clémence, laissez-moi vous parler comme un père. Vous savez que je n'aime pas mâcher les choses que j'ai à dire... Louis remplit-il bien ses devoirs auprès de vous ?

— Louis m'est aussi attentif qu'un époux peut l'être.

— Voyons, ma nièce, entendez-moi bien ; j'entends ses devoirs d'époux chrétien, ses devoirs de corps, si vous préférez. »

Le rouge monta au front de Clémence. Elle balbutia :

« Je ne vois pas que Louis ait en rien à être repris sur ce point. Je ne suis guère mariée que depuis cinq mois et je ne pense pas qu'il y ait lieu de vous alarmer déjà.

— Mais enfin, honore-t-il bien régulièrement votre couche ?

— Presque chaque nuit, mon oncle, si c'est cela que vous tenez à apprendre ; et plus que d'être sa servante lorsqu'il le veut, je ne puis.

— Eh bien ! souhaitons, souhaitons ! dit Charles de Valois. Mais comprenez, ma nièce, que c'est moi qui ai fait votre mariage ; je ne voudrais pas qu'on me reprochât un mauvais choix. »

Alors Clémence, pour la première fois, eut un mouvement de colère. Elle repoussa sa broderie, se leva de son siège et, d'une voix où l'on pouvait reconnaître le ton de la vieille reine Marie, elle répondit :

« Vous semblez oublier, messire mon oncle, que ma grand-mère a donné le jour à treize enfants, et que ma mère Clémence de Habsbourg en avait déjà trois lorsqu'elle mourut à peu près à l'âge que j'ai. Ma tante Marguerite, votre première épouse, ne vous a pas donné motif de vous plaindre, que je sache. Les femmes de notre famille sont fécondes, et le prouvent en maints royaumes. Si donc il y a empêchement au vœu que vous formez, il ne saurait venir de mon sang. Et sur ce point, messire, nous avons assez parlé pour ce jour, et pour toujours. »

Elle alla s'enfermer dans sa chambre, refusant qu'aucune dame de parage la suivît.

Ce fut là qu'Eudeline, la première lingère, entrant pour préparer le lit, la trouva deux heures plus tard, assise auprès d'une fenêtre derrière laquelle la nuit était tombée.

« Comment, Madame, s'écria-t-elle, on vous a laissée sans lumière ! Je vais appeler !

— Non, non, je ne veux personne », dit faiblement Clémence.

La lingère aviva le feu qui se mourait, plongea dans les braises une branche résineuse et s'en servit pour allumer un cierge planté sur un pied de fer.

« Oh ! Madame ! Vous pleurez ? dit-elle. Vous a-t-on fait peine ? »

La reine s'essuya les yeux.

« Un mauvais sentiment me tourmente l'âme, dit-elle brusquement. Je suis jalouse. »

Eudeline la regarda avec surprise.

« Vous, Madame, jalouse ? Mais quelle raison auriez-vous de l'être ? Je suis bien certaine que notre Sire Louis ne vous fait pas de tromperie, ni n'en a même l'idée.

— Je suis jalouse de Madame de Poitiers, reprit Clémence. Je suis envieuse d'elle, qui va avoir un enfant, alors que moi je n'en attends point. Oh ! j'en suis bien aise pour elle ; mais je ne savais pas que le bonheur d'autrui pouvait blesser si fort.

— Ah ! certes, Madame, cela peut causer grande douleur, le bonheur des autres ! »

Eudeline avait dit cela d'une curieuse manière, non pas comme une servante qui approuve les paroles de sa maîtresse, mais comme une femme qui a souffert le même mal, et le comprend. Le ton n'échappa point à Clémence.

« N'as-tu pas d'enfant, toi non plus ? demanda-t-elle.

— Si fait, Madame, si fait, j'ai une fille qui porte mon nom et qui vient d'atteindre ses dix ans. »

Elle se détourna et commença de s'affairer autour du lit, rabattant les couvertures de brocart et de menu-vair.

« Tu es depuis longtemps lingère en ce château ? poursuivit Clémence.

— Depuis le printemps, juste avant votre venue. Jusque-là, j'étais au palais de la Cité, où je tenais le linge de notre Sire Louis, après avoir tenu celui de son père, le roi Philippe, pendant dix ans. »

Un silence se fit, où l'on n'entendit plus que la main de la lingère battant les oreillers.

« Elle connaît à coup sûr tous les secrets de cette maison... et de ses lits, se disait la reine. Mais non, je ne lui demanderai rien, je ne l'interrogerai pas. Il est mal de faire parler les servantes... Ce n'est pas digne de moi. »

Mais qui donc pouvait la renseigner sinon justement une servante, sinon l'un de ces êtres qui partagent l'intimité des rois sans en partager le pouvoir ? Jamais, aux princes de la famille, elle n'aurait l'audace de poser la question qui lui brûlait l'esprit, depuis sa conversation avec Charles de Valois ; d'ailleurs, lui donneraient-ils une réponse honnête ? Des hautes dames de la cour, aucune n'avait vraiment sa confiance, parce qu'aucune vraiment n'était son amie. Clémence se sentait l'étrangère que l'on flatte de vaines louanges, mais que l'on observe, que l'on guette, et dont la moindre faute, la moindre faiblesse ne sera pas pardonnée. Aussi ne pouvait-elle se permettre d'abandon qu'auprès des servantes. Eudeline particulièrement lui semblait rassurante. Le regard droit, le maintien simple, les gestes appliqués et tranquilles, la première lingère se montrait de jour en jour plus attentive, et ses prévenances étaient sans ostentation.

Clémence se décida.

« Est-il vrai, demanda-t-elle, que la petite Madame de Navarre, que l'on tient loin de la cour et que je n'ai vue qu'une fois, ne soit pas de mon époux ? »

Et, en même temps, elle se disait : « N'aurais-je pas dû être avertie plus tôt de ces secrets de couronne ? Ma grand-mère aurait dû s'informer davantage ; en vérité, on m'a laissé venir à ce mariage en ignorant bien des choses. »

« Bah ! Madame..., répondit Eudeline en continuant de dresser les coussins, et comme si la question ne la surprenait pas outre mesure... je crois que nul ne le sait, pas même notre Sire Louis. Chacun dit sur cela ce qui l'arrange ; ceux qui affirment que Madame de Navarre est la fille du roi ont intérêt à le faire, et pareillement ceux qui tiennent pour la bâtardise. On en voit même, comme Mgr de Valois, qui changent d'avis selon les mois, sur une chose où pourtant il n'y a qu'une vérité. La seule personne dont on aurait pu tenir une certitude, qui était Madame de Bourgogne, a maintenant la bouche pleine de terre... »

Eudeline s'interrompit et regarda vers la reine.

« Vous vous inquiétez, Madame, de savoir si
notre Sire le roi... »

Elle s'arrêta de nouveau, mais Clémence l'en-
couragea des yeux.

« Rassurez-vous, Madame, dit Eudeline ; Mgr
Louis n'est pas empêché d'avoir un héritier,
comme de méchantes langues le prétendent dans
le royaume et même à la cour.

— Sait-on..., murmura Clémence.

— Moi, je sais, répliqua Eudeline lentement, et
l'on a pris bien soin que je sois seule à le savoir.

— Que veux-tu dire ?

— Je veux dire le vrai, Madame, parce que moi
aussi j'ai un lourd secret. Sans doute devrais-je
encore me taire... Mais ce n'est pas offenser une
dame telle que vous, de si haute naissance et de
si grande charité, que de vous avouer que ma fille
est de Mgr Louis. »

La reine contemplait Eudeline avec un étonnement sans mesure. Que Louis ait eu une première épouse n'avait guère posé à Clémence de
problèmes personnels. Louis, comme tous les
princes, avait été marié selon les intérêts d'Etat.
Un scandale, la prison, puis la mort l'avaient sé-
paré d'une femme infidèle. Clémence ne s'interrogeait pas sur l'intimité ou les mésententes secrètes du couple. Aucune curiosité, aucune représentation n'assaillaient sa pensée. Or, voici que
l'amour, l'amour non conjugal, se dressait devant
elle en la personne de cette belle femme rose et
blonde, à la trentaine plantureuse ; et Clémence
se mettait à imaginer...

Eudeline prit le silence de la reine pour un
blâme.

« Ce n'est pas moi qui l'ai voulu, Madame, je

vous l'assure ; c'est lui qui y avait mis bien de l'autorité. Et puis, il était si jeune, il n'avait point de discernement ; une grande dame l'eût sans doute effarouché. »

D'un geste de la main, Clémence signifia qu'elle ne souhaitait point d'autre explication.

« Je veux voir ta fille. »

Une expression de crainte passa sur les traits de la lingère.

« Vous le pouvez, Madame, vous le pouvez, bien sûr, puisque vous êtes la reine. Mais je vous demande de n'en rien faire, car on saurait alors que je vous ai parlé. Elle ressemble tant à son père que Mgr Louis, par crainte que sa vue ne vous blesse, l'a fait enfermer dans un couvent juste avant que vous n'arriviez. Je ne la visite qu'une fois le mois et, dès qu'elle sera en âge, elle sera cloîtrée. »

Les premières réactions de Clémence étaient toujours généreuses. Elle oublia pour un moment son propre drame.

« Mais pourquoi, dit-elle à mi-voix, pourquoi cela ? Comment croyait-on qu'un tel acte pût me plaire, et à quel genre de femmes les princes de France sont-ils donc accoutumés ? Ainsi, ma pauvre Eudeline, c'est pour moi que l'on t'a arraché ta fille ! Je t'en demande bien grand pardon.

— Oh ! Madame, répondit Eudeline, je sais bien que cela ne vient pas de vous.

— Cela ne vient pas de moi, mais cela s'est fait à cause de moi, dit Clémence pensivement. Chacun de nous n'est pas seulement comptable de ses mauvais agissements, mais aussi de tout le mal dont il est l'occasion, même à son insu.

— Et moi-même, Madame, reprit Eudeline, moi-même qui étais première fille lingère du Palais, Mgr Louis m'a envoyée ici, à Vincennes, dans une plus petite condition que celle que j'avais à Paris. Nul n'a rien à dire contre les volontés du roi, mais c'est vraiment bien peu de remerciements pour le silence que j'ai gardé. Sans doute, Mgr Louis voulait-il me cacher moi aussi ; il ne pensait pas que vous iriez préférer ce séjour des bois au grand palais de la Cité. »

Maintenant qu'elle avait commencé de se confier, elle ne pouvait plus s'arrêter.

« Je puis bien vous avouer, poursuivit-elle, qu'à votre arrivée, je n'étais prête à vous servir que par devoir, mais certainement point par plaisir. Il faut que vous soyez très noble dame, et aussi bonne de cœur que vous êtes belle de visage, pour que je me sois sentie gagnée d'affection pour vous. Vous ne savez point comme vous êtes aimée des petites gens ; il faut entendre parler de la reine, aux cuisines, aux écuries, aux buanderies ! C'est là, Madame, que vous avez des âmes dévouées, bien plus que parmi les grands barons. Vous nous avez conquis le cœur à tous, et même le mien qui vous était le plus fermé ; vous n'avez pas maintenant de servante plus attachée que moi, acheva Eudeline en saisissant la main de la reine pour y poser les lèvres.

— Ta fille te sera rendue, dit Clémence, et je la protégerai. J'en veux parler au roi.

— N'en faites rien, Madame, je vous en prie, s'écria Eudeline.

— Le roi me comble de cadeaux que je ne souhaite pas ; il peut bien m'en accorder un qui me plaise !

— Non, non, je vous en supplie, n'en faites

rien, répéta Eudeline. J'aime mieux voir ma fille sous le voile que de la voir sous terre. »

Clémence, pour la première fois depuis le début de l'entretien, eut un sourire, presque un rire.

« Les gens de ta condition, en France, ont-ils donc si peur du roi ? Ou bien est-ce le souvenir du roi Philippe, qu'on disait être sans merci, qui pèse encore sur vous ? »

Si Eudeline éprouvait une véritable affection pour la reine, elle n'en gardait pas moins au Hutin une solide rancune ; l'occasion était belle de satisfaire à la fois ces deux sentiments.

« Vous ne connaissez pas encore Mgr Louis comme chacun le connaît ici ; il ne vous a pas encore montré le revers de son âme. Personne n'a oublié, dit-elle en baissant la voix, que notre sire Louis a fait tourmenter les serviteurs de son hôtel, après le procès de Madame Marguerite, et que huit cadavres, tout mutilés et brisés, ont été repêchés au pied de la tour de Nesle. Ils y ont été poussés par le hasard, pensez-vous ? Je n'aimerais pas que le hasard nous poussât, ma fille et moi, du même côté.

— Ce sont là commérages que font circuler les ennemis du roi... »

Mais en même temps qu'elle prononçait ces paroles, Clémence se rappelait les allusions du cardinal Duèze, en Avignon.

« Aurais-je épousé un cruel ? » se demandait-elle.

« J'ai regret, si j'ai trop parlé, reprit Eudeline. Dieu veuille que vous n'ayez rien à apprendre de pire, et que votre grande bonté vous laisse en ignorance.

— Quel est ce pire que je pourrais apprendre ?...

Cela touche-t-il à la fin de Madame Marguerite... ? »

Eudeline haussa tristement les épaules.

« Vous êtes la seule à la cour, Madame, pour qui la chose fasse un doute. Si vous n'êtes pas encore informée, c'est que d'aucuns guettent un méchant moment, peut-être, pour vous mieux nuire. Il l'a fait étouffer, on le sait bien. Autour de Château-Gaillard, on ne se prive point de le dire... Mais à vous connaître on finit par approuver le roi.

— Mon Dieu, mon Dieu, est-ce possible... est-ce possible qu'on ait tué pour m'épouser ! gémit Clémence en se cachant le visage dans les mains.

— Ah ! ne vous remettez pas à pleurer, Madame, dit Eudeline. Ce sera bientôt l'heure du souper, et vous n'y pouvez paraître ainsi. Il faut vous rafraîchir le visage. »

Elle alla chercher un bassin d'eau fraîche et un miroir, pressa un linge mouillé sur les joues de la reine, lui rattacha une tresse qui s'était défaite. Elle avait une grande douceur de gestes, et une sorte de tendresse protectrice.

Un moment les visages des deux femmes apparurent côte à côte dans le miroir, deux visages aux mêmes teintes blondes et dorées, aux mêmes yeux larges et bleus.

« Tu sais que nous nous ressemblons, dit la reine.

— C'est bien le plus beau compliment qu'on m'ait jamais fait, et je voudrais fort que ce fût vrai », répondit Eudeline.

Comme leur émotion à toutes deux était profonde, et qu'elles avaient un égal besoin d'amitié, le même mouvement les poussa l'une vers l'autre, et elles se tinrent un instant embrassées.

V

LA FOURCHETTE ET LE PRIE-DIEU

Le menton levé, le sourire aux lèvres, et vêtu d'une robe doublée de fourrure par-dessus sa chemise de nuit, Louis X entra dans la chambre.

Durant le souper, il avait trouvé la reine étrangement morose, distante, presque absente, ne suivant les propos échangés qu'avec retard, et répondant à peine aux paroles qu'on lui adressait ; mâis il ne s'en était pas autrement inquiété. « Les femmes sont sujettes aux sautes d'humeur, se disait-il, et ce présent que je lui apporte saura bien lui rendre la gaieté. » Car le Hutin était de ces maris sans imagination, qui ont petite opinion des femmes et pensent que toutes choses s'arrangent par un cadeau. Si bien qu'il arrivait, se faisant aussi gracieux que possible, et tenant un petit écrin de forme allongée.

Il fut quelque peu surpris de voir Clémence agenouillée sur son prie-Dieu. D'ordinaire, elle avait achevé ses dévotions du soir avant qu'il entrât. Il lui fit un signe de la main qui signifiait : « Ne vous mettez pas en peine pour moi, achevez en paix... », et il demeura à l'autre bout de la chambre, tournant l'écrin dans ses doigts.

Les minutes passaient ; il alla prendre une dragée dans une coupe posée auprès du lit, et la croqua. Clémence était toujours agenouillée. Louis s'approcha d'elle, et s'aperçut qu'elle ne priait pas. Elle le regardait.

« Voyez, ma mie, dit-il, voyez la surprise que j'ai pour vous. Oh ! ce n'est pas un bijou, c'est plutôt une rareté, une trouvaille d'orfèvre. Voyez... »

Il ouvrit l'écrin, en sortit un long objet brillant, à deux pointes. Clémence, sur son prie-Dieu, eut un mouvement de recul.

« Eh ! ma mie ! s'écria Louis en riant, n'ayez point peur, cela n'est pas fait pour blesser ! C'est une petite fourche à manger les poires. Voyez comme le travail en est habile. »

Sur le bois du prie-Dieu il posa une fourchette à deux fourcherons d'acier fort aigus sortant d'un manche d'ivoire et d'or ciselé.

La reine vraiment ne semblait pas témoigner grand intérêt pour l'objet, ni bien en apprécier la nouveauté. Louis se sentit déçu.

« Je l'ai commandée spécialement par Tolomei, à un orfèvre de Florence. Il paraît qu'il n'existe que cinq de ces fourchettes dans le monde, et j'ai voulu que vous en ayez une, afin de ne point tacher vos jolis doigts quand vous mangez les fruits. C'est bien un objet de dame ; jamais les hommes n'oseraient ni ne sauraient se servir d'un si précieux outil, sinon mon beau-frère d'Angleterre qui, m'a-t-on dit, en possède un et ne craint point la risée en l'utilisant à table. »

Il pensait, par ces derniers mots, avoir fait montre d'esprit, et il attendait un sourire. Mais Clémence n'avait pas bougé du prie-Dieu et continuait de regarder son mari fixement. Jamais elle n'avait été plus belle ; ses longs cheveux dorés lui tombaient jusqu'aux reins.

Louis enchaîna :

« Ah ! messer Tolomei m'a justement appris que son jeune neveu, que j'avais envoyé avec Bouville pour vous quérir à Naples, se trouve guéri ; il va bientôt reprendre le chemin de Paris ; en chaque lettre il parle à son oncle de vos bontés à son endroit. »

Il n'obtint pas de réponse.

« Mais qu'a-t-elle donc ? se demanda-t-il ; elle aurait pu au moins me dire un mot de merci. » Avec toute autre personne que Clémence, il se fût déjà mis en colère ; mais il ne se résignait pas à voir son bonheur si vite terni par une scène de ménage. Il prit sur lui et fit une nouvelle tentative.

« Je crois bien, cette fois, que les affaires d'Artois vont être réglées, dit-il. Les choses se présentent de bonne manière. L'entrevue de Compiègne, à laquelle vous m'avez si doucement accompagné, a eu les résultats que j'attendais et je vais bientôt rendre mon arbitrage. Tout s'apaise, lorsque vous êtes auprès de moi.

— Louis, dit brusquement Clémence, de quelle manière est morte votre première épouse ? »

Louis se pencha en avant, comme s'il avait reçu un coup au milieu du corps, et la contempla un moment, stupéfait.

« Marguerite est morte... elle est morte, répondit-il en agitant les mains... d'une fièvre de poitrine qui l'a étouffée, à ce qu'on m'a dit.

— Louis, pouvez-vous jurer devant Dieu... »

Il l'interrompit, haussant le ton.

« Que voulez-vous que je jure ? Je n'ai rien à jurer. Où voulez-vous en venir ? Que voulez-vous savoir ? Je vous ai dit ce que je vous ai dit et je vous prie de vous en contenter ; vous n'avez rien à connaître de plus. »

Il se mit à parcourir la chambre, les pieds en canard. A l'échancrure de sa robe de nuit, la base de son cou avait rougi ; ses gros yeux luisaient d'un inquiétant scintillement.

« Je ne veux pas, cria-t-il, je ne veux pas que l'on me parle d'elle ! Jamais ! Et vous moins que tout autre. Je vous interdis, Clémence, de jamais rappeler devant moi le nom de Marguerite... »

Il fut interrompu par une quinte de toux.

« Pouvez-vous me jurer devant Dieu, répéta Clémence avec détermination, pouvez-vous me jurer que votre volonté ne fut pour rien dans son trépas ? »

La colère, chez Louis, obscurcissait vite le jugement. Au lieu de nier, simplement, et de hausser les épaules comme devant une supposition absurde et offensante, il répliqua :

« Et quand cela serait ? Vous seriez la dernière à avoir le droit de m'en faire reproche. Ce serait plutôt à votre grand-mère qu'il faudrait vous en prendre !

— A ma grand-mère ? murmura Clémence.

Quelle part ma grand-mère a-t-elle en ceci ? »

Le Hutin sut aussitôt qu'il venait de commettre une sottise, ce qui ne fit qu'accroître sa fureur. Il était trop tard pour revenir en arrière.

« Assurément, c'est la faute de Madame de Hongrie ! Elle exigeait que votre mariage se fît avant l'été. Alors, j'ai souhaité... vous entendez bien, j'ai seulement souhaité... que Marguerite fût morte avant ce temps-là. Et j'ai été entendu, voilà tout. Si je n'avais pas exprimé ce souhait, vous ne seriez pas aujourd'hui reine de France. Ne faites donc point tellement l'innocente et ne venez pas me jeter blâme de ce qui vous arrange si bien et vous a mise plus haut que tout votre parentage.

— Jamais je n'aurais accepté, s'écria Clémence, si j'avais su que ce fût à un tel prix. C'est à cause de ce crime, Louis, que Dieu ne nous donne pas d'enfant ! »

Louis fit un demi-tour sur lui-même et s'immobilisa, ébahi.

« Oui, de ce crime, et des autres aussi que vous avez commis, continua la reine en se levant du prie-Dieu. Vous avez fait assassiner votre épouse. Vous avez fait pendre messire de Marigny. Vous maintenez en geôle les légistes de votre père. Vous avez fait tourmenter vos propres serviteurs. Vous avez attenté à la vie et à la liberté des créatures de Dieu. Et c'est pourquoi, maintenant, Dieu vous punit en vous empêchant d'engendrer de nouvelles créatures. »

Louis, plein de stupeur, la regardait s'avancer. Ainsi, il existait une troisième personne pour ne pas s'émouvoir de ses emportements, briser ses fureurs et prendre le pas sur lui. Son père, Phi-

lippe le Bel, l'avait dominé par l'autorité souveraine ; son frère, le comte de Poitiers, le dominait
par l'intelligence ; et voici que sa nouvelle épouse
le dominait par la foi. Jamais il n'aurait pu
imaginer que son justicier se présenterait à lui,
dans la chambre nuptiale, et sous les apparences
de cette femme si belle, dont les cheveux fré-
missaient pareils à une blonde comète.

Le visage de Louis se fripa ; il ressembla à
un enfant qui va pleurer.

« Et que voulez-vous que je fasse, maintenant ?
demanda-t-il d'une voix aiguë. Je ne puis ressus-
citer les morts. Vous ne savez pas ce que c'est
que d'être roi ! Rien ne s'est fait absolument par
mon vouloir, et c'est moi que vous rendez coupable de tout. Que voulez-vous obtenir ? A quoi
sert de me reprocher ce qui ne se peut réparer ?
Séparez-vous donc de moi, retournez à Naples,
si vous ne pouvez plus tolérer ma vue. Et attendez qu'il y ait un pape pour lui demander de
défaire notre lien !... Ah ! ce pape ! ce pape !
ajouta-t-il en serrant les poings. Rien de cela ne
serait arrivé s'il y avait eu un pape. »

Clémence lui posa les mains sur les épaules.
Elle était un peu plus grande que lui.

« Je ne saurais songer à me séparer de vous,
dit-elle. Je suis votre épouse pour partager en
tout votre condition, et vos misères comme vos
joies. Ce que je veux, c'est sauver votre âme,
et vous inspirer le repentir, sans lequel il n'est
point de pardon. »

Il la regarda dans les yeux, n'y vit que bonté
et grand effort de compassion. Il respira mieux
et l'attira contre lui.

« Ma mie, ma mie, vous êtes meilleure que moi,

ô combien meilleure ! Je ne pourrais vivre sans vous. Je vous promets de m'amender et de bien regretter le mal que j'ai pu causer. »

En même temps, il avait enfoui la tête au creux de l'épaule de Clémence et lui effleurait des lèvres la naissance du cou.

« Ah ! ma mie, continuait-il, que vous êtes bonne, que vous êtes bonne à aimer ! Je serai tel, je vous le promets, je serai tel que vous le voulez. Certes, j'ai des remords, et qui me causent souvent de grandes frayeurs ! Je n'oublie bien qu'entre vos bras. Venez ma mie, venez que nous nous aimions. »

Il cherchait à l'entraîner vers le lit ; mais elle demeurait immobile, et il la sentit se crisper, refuser.

« Non, Louis, non, dit-elle très bas. Il nous faut faire pénitence.

— Mais nous ferons pénitence, ma mie ; nous jeûnerons trois fois la semaine si vous le voulez. Venez, j'ai trop d'impatience de vous ! »

Elle se dégagea, et, comme il voulait la retenir de force, une couture de la robe de nuit céda. Le bruit de la déchirure effraya Clémence qui, couvrant de la main son épaule dénudée, courut se réfugier derrière son prie-Dieu. Ce mouvement de crainte déclencha chez le Hutin un nouvel accès de colère.

« Mais qu'avez-vous, à la parfin, s'écria-t-il, et que faut-il donc pour vous complaire ?

— Je ne veux plus vous appartenir avant que d'être allée avec vous en pèlerinage. Nous irons à pied ; nous saurons ensuite si Dieu nous pardonne en nous accordant un enfant.

— Le meilleur pèlerinage pour obtenir un en-

fant, c'est ici qu'il se fait ! dit Louis en désignant
le lit.

— Ah ! ne vous moquez point des choses de
la religion, répondit Clémence ; ce n'est pas ainsi
que vous pourrez me convaincre.

— Votre religion est bien étrange, qui vous
commande de vous refuser à votre époux. Ne vous
a-t-on jamais instruite d'un devoir auquel vous
ne devez pas vous dérober ?

— Louis, vous ne me comprenez pas !

— Si, je vous comprends ! Je comprends que
vous vous refusez à moi. Je comprends que je ne
vous plais point, que vous en usez avec moi comme
Marguerite... »

Il avança, le regard dirigé, sembla-t-il à Clémence, vers la fourchette aux deux longues pointes
acérées qui était toujours là, posée sur le rebord
du prie-Dieu. Elle avança la main pour se saisir de
l'objet avant qu'il ne le fît lui-même. Or, il ne
remarqua même pas son geste ; il ne portait
attention à rien qu'à la grande panique, au grand
désespoir qui le submergeaient.

Louis n'était assuré de ses facultés d'homme
qu'auprès d'un corps docile. Un refus lui ôtait
tout moyen ; les drames de son premier mariage
n'avaient pas eu d'autre origine. Si cette infirmité
venait à le reprendre ? Il n'est pire peine que
l'incapacité à posséder qui l'on désire le plus.
Comment pouvait-il expliquer à Clémence que,
pour lui, le châtiment avait précédé le crime ? Il
était terrifié à l'idée que l'engrenage du refus,
de l'impuissance et de la haine allait se remettre
en marche. Il prononça, comme pour lui-même :

« Suis-je donc damné, suis-je donc maudit, de
ne pouvoir être aimé de qui j'aime ? »

Les paupières closes, et toute tremblante encore, Clémence pensait de son côté : « J'ai donc cru qu'il songeait à me tuer ? »

Cédant à une vague honte autant qu'à la pitié, elle abandonna son prie-Dieu et dit :

« C'est bien ; je veux faire comme il vous plaît. »

Elle alla pour éteindre les chandelles.

« Laissez brûler les cierges, dit le Hutin.

— Vraiment, Louis, vous voulez...

— Laissez choir vos vêtements. »

Décidée maintenant à toute soumission, elle se dévêtit entièrement, avec le sentiment d'obéir au démon. Si Louis était damné, elle partagerait la damnation. Il entraîna vers le lit ce beau corps aux ombres modelées, sur lequel il avait de nouveau tout pouvoir. Pour remercier Clémence, il lui murmura :

« Je vous promets, ma mie, je vous promets de faire libérer messire de Presles, et tous les légistes de mon père. Au fond, vous voulez toujours les mêmes choses que mon frère Philippe ! »

Clémence pensa que sa complaisance serait l'occasion de quelque bien et, qu'à défaut de pénitence, des prisonniers seraient libérés.

Or, cette nuit-là, un grand cri s'éleva vers le plafond de la chambre royale. Mariée depuis cinq mois, la reine Clémence venait de découvrir qu'on n'était pas reine seulement pour être malheureuse, et que les portes du mariage pouvaient s'ouvrir sur des éblouissements inconnus.

Elle resta de longues minutes épuisée, haletante, émerveillée, et comme si la mer de son rivage natal l'avait déposée sur quelque plage dorée. Ce fut elle qui chercha l'épaule du roi pour s'y endormir, tandis que Louis, éperdu de reconnaissance pour ce plaisir qu'il venait de dispenser, et se sentant plus roi que le jour de son sacre, connaissait sa première nuit d'insomnie qui ne fût pas traversée par la hantise de la mort.

Mais cette félicité fut, hélas ! sans seconde. Dès le lendemain, sans le secours d'aucun confesseur, Clémence associa indissolublement le plaisir au péché. Elle était de nature plus nerveuse qu'il n'y paraissait car, dès lors, l'approche de son époux lui causa d'intolérables douleurs, qu'elle ne parvenait pas toujours à taire, et qui parfois la rendaient incapable d'accepter l'hommage royal, non par volonté, mais par intolérance du corps. Elle s'en attristait sincèrement, s'en excusait, faisait effort, mais en vain, pour assouvir les ardeurs insistantes de Louis.

« Je vous assure, mon doux sire, je vous assure, lui disait-elle, qu'il nous faut aller en pèlerinage, je ne pourrais point avant.

— Eh bien, nous irons, ma mie, nous irons bientôt, et aussi loin qu'il vous plaira, et la corde au cou si vous le voulez ; mais laissez-moi d'abord régler les affaires d'Artois. »

VI

L'ARBITRAGE

DEUX jours avant la Noël, dans la plus grande salle du manoir de Vincennes, aménagée pour l'occasion en chambre de justice, pairs, seigneurs et légistes, assis sur des bancs couverts de tapis, attendaient le roi.

Une délégation des barons d'Artois, ayant à sa tête Gérard Kiérez et Jean de Fiennes, ainsi que les inséparables Souastre et Caumont, était arrivée du matin. Il semblait que tout fût arrangé. Les émissaires du roi avaient multiplié les démarches entre les adversaires ; le comte de Poitiers avait inspiré des solutions de sagesse et conseillé à sa belle-mère de céder sur plusieurs points afin de ramener la paix dans ses Etats.

Obéissant aux instructions du roi, à vrai dire assez vagues mais généreuses quant aux intentions : « Je ne veux plus de sang versé ; je ne

veux plus de gens injustement maintenus en ca-
chot ; je veux qu'il soit rendu à chacun selon
son droit et que la bonne entente et l'amitié
règnent partout... », le chancelier Etienne de Mornay avait rédigé une longue sentence dont le
Hutin, lorsqu'on la lui présenta, se sentit infi-
niment fier, comme s'il en avait dicté personnellement tous les articles.

Dans le même temps, Louis X faisait libérer
Raoul de Presles, et six autres conseillers de son
père qui croupissaient en prison depuis le mois
d'avril. Ce mouvement de mansuétude générale
l'avait également amené à gracier, en dépit de
l'opposition de Charles de Valois, la femme et
le fils d'Enguerrand de Marigny, gardés en geôle
jusque-là.

Un tel changement d'attitude surprenait la cour.
Le roi n'était-il pas allé jusqu'à recevoir Louis de
Marigny, en présence de la reine et de plusieurs
dignitaires ? L'embrassant, il lui avait déclaré :

« Mon filleul, le passé est oublié. »

Le Hutin employait maintenant cette formule
à tout propos, comme s'il voulait se persuader, et
persuader aux autres, qu'une nouvelle phase
de son règne avait commencé.

Il se sentait particulièrement bonne conscience,
ce matin-là, tandis qu'on lui mettait sa couronne
et qu'on lui posait sur les épaules le grand manteau orné de fleurs de lis.

Mathieu de Trye lui tendit la main de justice,
d'or et aux deux doigts levés.

« Comme elle est pesante ! dit Louis. Elle
m'avait paru telle, déjà, le jour du sacre.

— Sire, recevrez-vous d'abord maître Martin,
qui vient d'arriver de Paris, ou bien le verrez-

vous après le Conseil ? demanda le grand chambellan.

— Maître Martin est là ? s'écria Louis. Je veux
le voir céans. Qu'on me laisse avec lui. »

Le personnage qui entra était un homme d'une
cinquantaine d'années, d'assez forte corpulence,
au teint très brun et aux yeux rêveurs. Bien
qu'il fût vêtu fort simplement, presque comme
un moine, il avait, dans toute sa tournure, dans
ses gestes à la fois onctueux et assurés, dans sa
façon de replier son manteau au creux du bras
et de s'incliner en saluant, quelque chose d'orien-
tal. Maître Martin, en sa jeunesse, avait beaucoup
voyagé et poussé jusqu'aux rivages de Chypre,
de Constantinople et d'Alexandrie. On n'était pas
absolument certain qu'il eût porté toujours ce
nom de Martin sous lequel on le connaissait.

« Avez-vous éclairé les questions que je vous ai
posées ? lui dit d'emblée le Hutin.

— Je l'ai fait, Sire, je l'ai fait, avec grand
honneur d'être consulté par vous.

— Alors, dites-moi le vrai, même s'il doit être
mauvais ; je ne crains pas de l'entendre. »

Un astrologue tel que maître Martin savait ce
qu'il fallait penser de pareil préambule, surtout
venant d'un roi.

« Sire, répondit-il, notre science n'est pas abso-
lue, et si les astres ne mentent jamais, notre
entendement, lui, peut errer en les observant.
Toutefois, je ne vois pas que vos inquiétudes
soient fondées, et rien ne paraît empêcher que
vous ayez une descendance. Le ciel de votre naissance vous est plutôt favorable en cela, et les
astres y sont disposés de bonne façon pour la
paternité. En effet, Jupiter s'y montre à la pointe

du Cancer, ce qui est signe de fécondité, et ce
Jupiter de votre naissance, de plus, forme tri-
gone d'amitié avec la Lune et la planète Mercure.
Vous ne devez donc pas renoncer à l'espérance
d'engendrer, loin de là. En revanche, l'opposition
que la Lune fait à Mars n'annonce point à l'enfant une vie exempte de difficultés ; il faudra
l'entourer, dès ses premiers jours, de soins bien
vigilants et de serviteurs fidèles. »

Maître Martin s'était acquis une belle notoriété
en annonçant longtemps à l'avance, encore qu'à
mots fort couverts, la mort de Philippe le Bel
comme devant coïncider avec l'éclipse de novembre 1314. Il avait écrit : « Un puissant monarque d'Occident... », se gardant bien de préciser.
Louis X tenait depuis lors maître Martin en
grande estime.

« Votre avis m'est précieux, maître Martin, et
vos paroles me confortent. Avez-vous pu discer-
ner les moments les plus favorables à concevoir
les héritiers que je souhaite ? »

Toujours maître Martin s'exprimait avec lenteur, pour se donner le temps de trouver à ses
réponses le tour le plus encourageant.

« Ne parlons que du premier, Sire, car pour
les autres je ne pourrais me prononcer avec
assez d'assurance... Il me manque l'heure de naissance de la reine, qu'elle ne sait point et que
personne n'a pu me fournir ; mais je ne pense
pas commettre une grande erreur en vous disant
qu'avant l'entrée du soleil dans le Sagittaire, un
enfant vous sera né, ce qui placerait le temps
de la conception environ à la mi-février.

— Il convient donc de me hâter d'accomplir à
Saint-Jean d'Amiens le pèlerinage que la reine

souhaite tant. Et quand pensez-vous, maître Martin, que je doive reprendre ma guerre contre les Flamands ?

— Je crois qu'il vous faut suivre en cela, Sire, les inspirations de votre sagesse. Avez-vous fait le choix d'une date ?

— Je compte réunir l'ost avant l'août prochain. »

Le regard rêveur de maître Martin resta un instant en suspens sur le roi, sur sa couronne, sur la main de justice qui semblait l'embarrasser et qu'il portait sur l'épaule comme un jardinier sa bêche.

« Avant le mois d'août, il y aura juin à franchir... », murmura l'astrologue.

Puis, plus haut :

« A l'août prochain, Sire, il se peut que les Flamands aient cessé de vous inquiéter.

— Je le crois volontiers, s'écria le Hutin ; car je leur ai inspiré grand-peur l'été passé, et ils viendront sans doute à merci sans bataille, avant la saison des chevauchées. »

C'est une étrange impression que de regarder un homme avec la quasi-certitude qu'avant six mois il sera mort, et de l'entendre faire des projets pour un avenir qu'il ne verra probablement pas. « A moins qu'il ne dure jusqu'à novembre... » se disait Martin. Car, en dehors de la redoutable échéance de juin, l'astrologue avait décelé un second aspect funeste, une méchante direction de Saturne à vingt-sept ans et quarante-quatre jours de la naissance de Louis. « Deux conjonctions de fatalité, à six mois d'intervalle. Si vraiment il engendre, la seconde se rencontrerait alors avec la naissance de l'enfant...

De toute manière, ce ne sont pas choses à dire. »

Pourtant, avant de partir, la paume garnie d'une bourse que le roi venait de lui tendre, maître Martin se sentit tenu d'ajouter :

« Sire, un mot encore pour la sauvegarde de votre santé. Défiez-vous des venins, surtout au déclin du printemps.

— Faut-il m'abstenir des mousserons, girolles et morilles ? demanda Louis. J'en suis friand ; mais il est vrai qu'ils m'ont causé parfois des dérangements d'entrailles. »

Puis soudain soucieux :

« Venin... Entendez-vous les morsures de vipère ?

— Non, Sire, je parle bien des nourritures de bouche.

— Ah bien... Je vous sais gré du conseil, maître Martin. »

Aussitôt, tandis qu'il se dirigeait vers la chambre de justice, Louis prescrivit à son grand chambellan qu'on redoublât de surveillance aux cuisines, qu'on s'assurât de n'employer que des denrées de provenance connue, et qu'on fît éprouver tous les mets deux fois au lieu d'une avant de les lui servir.

Puis il entra dans la grand-salle où l'assistance s'était levée et attendait qu'il fût installé sous le dais.

Bien assis, les pans de son manteau ramenés sur les genoux, et la main de justice un peu inclinée dans la saignée du bras, Louis se sentit pareil, un instant, au Seigneur du Ciel sur les vitraux d'églises. A sa droite et à sa gauche, ses barons bellement vêtus inclinaient la tête dévotement. Il y avait quand même des moments de satisfaction dans le métier de roi ; et Louis faisait durer son plaisir.

« Voilà, pensait-il ; je vais rendre ma sentence et chacun va s'y conformer, et je vais rétablir la paix et la bonne harmonie parmi mes sujets. »

Devant lui se tenaient les deux partis entre lesquels il allait rendre arbitrage. D'un côté, la comtesse Mahaut, dépassant de la tête et de la couronne ses conseillers groupés autour d'elle. De l'autre la délégation des « alliés » d'Artois. Il y avait chez ces derniers un certain manque d'unité dans l'apparence, car chacun avait mis ses meilleurs vêtements qui n'étaient pas toujours à la dernière mode. Ces petits seigneurs sentaient leur province ; Souastre et Caumont s'étaient affublés comme pour paraître en tournoi, et semblaient un peu embarrassés de leurs heaumes qu'ils portaient à la main, devant la poitrine.

Les grands barons désignés pour assister le roi avaient été sagement choisis en nombre égal parmi les amis des deux camps. Charles de Valois et son fils Philippe, Charles de la Marche, Louis de Clermont, Béraud de Mercœur, et surtout Robert d'Artois lui-même, constituaient le soutien des alliés. On savait que de l'autre part Philippe de Poitiers, Louis d'Evreux, Henri de Sully, les comtes de Boulogne, de Savoie, de Forez, et messire Miles de Noyers donnaient appui à Mahaut.

« *In nomine patris et filii...* »

Les assistants se regardèrent, surpris. C'était la première fois que le roi ouvrait séance par une prière, et appelait sur ses décisions les lumières divines.

« On nous l'a changé, souffla Robert d'Artois à Philippe de Valois ; le voilà maintenant qui se prend pour évêque en chaire.

— Mes bien chers frères, mes bien chers oncles, mes bons cousins, mes bien-aimés vassaux, nous avons le désir très grand, et le devoir, par commission de Dieu, de maintenir la paix en notre royaume et de condamner la division entre nos sujets... »

Louis, qui souvent bredouillait en public, s'exprimait cette fois d'une parole lente, mais claire ; vraiment, il se sentait inspiré, et l'on se demandait, à l'écouter ce jour-là, si son véritable destin n'eût pas été de faire un bon vicaire en un modeste bailliage.

Il se tourna d'abord vers la comtesse Mahaut, et la pria de suivre ses conseils. Mahaut répondit :

« Sire, je ne désire rien tant que la concorde et souhaite pouvoir en tout vous complaire. »

Le roi adressa aux alliés ensuite la même recommandation.

« Sire, répondit Gérard Kiérez, nous n'avons d'autre vouloir que l'apaisement, et nous montrer vos fidèles vassaux. »

Louis regarda autour de lui ses oncles, frères et cousins. « Voyez, semblait-il dire, comme j'ai bien su arranger toutes choses. »

Puis l'assemblée s'assit, et le chancelier Etienne de Mornay lut la sentence d'arbitrage qui débutait par une déclaration d'intention.

Le passé, selon la formule chère au roi, était oublié, et les haines, offenses et rancunes pardonnées de part et d'autre. La comtesse Mahaut reconnaissait ses obligations envers ses sujets ; elle s'engageait à maintenir bonne paix au pays d'Artois, à n'exercer aucunes représailles sur les alliés ni chercher aucune occasion de leur causer mal ou nuisance. Elle scellerait, comme le roi l'avait fait, les coutumes en usage au temps de saint Louis et qui seraient prouvées devant elle par gens dignes de foi, chevaliers, clercs, bourgeois, avocats...

Louis X écoutait à peine. Ayant dicté la première phrase, il estimait avoir tout fait. Le détail des dispositions juridiques, dont il avait laissé la rédaction à Mornay, ne l'intéressait guère. Sa pensée dérivait ailleurs. Il était en train de compter sur ses doigts : « Février, mars, avril, mai... ainsi ce serait donc vers novembre qu'il me naîtrait un héritier... »

— « Si l'on se plaint de la comtesse, lisait « Etienne de Mornay, le roi fera examiner par des « enquêteurs si la plainte est fondée et, dans ce « cas, si la comtesse refuse justice, le roi la con- « traindra. D'autre part, la comtesse devra, pour « les amendes qu'elle réclame, en déclarer le mon- « tant pour chaque délit. La comtesse devra « rendre aux seigneurs les terres qu'elle détient « sans jugement... »

Mahaut commençait à s'agiter ; mais les quatre frères d'Hirson, autour d'elle, le chancelier, le trésorier, le panetier, le bailli, la calmèrent.

« Il n'a jamais été question de ceci à l'entrevue de Compiègne ! disait Mahaut. C'est un mauvais ajout.

— Il vaut mieux perdre un peu que tout perdre », lui souffla Denis.

Le souvenir de la promenade qu'il avait faite, enchaîné, le jour de la décapitation du sergent Cornillot, l'incitait au compromis.

Mahaut retroussa ses manches et continua d'écouter, contenant sa colère.

La lecture durait depuis près d'un quart d'heure quand un frémissement d'intérêt passa sur la salle ; Mornay abordait le passage relatif à Thierry d'Hirson. Tous les regards se tournèrent vers le chancelier de Mahaut et vers ses frères.

— « .... En ce qui concerne maître Thierry « d'Hirson dont les alliés ont réclamé qu'il fût « mis en jugement, le roi décide que les accusa- « tions devront être portées devant l'évêque de « Thérouanne, dont maître Thierry dépend ; mais « il ne pourra aller en Artois présenter sa défense « pour ce que ledit maître Thierry est moult « haï au pays. Ses frères, sœurs et neveux n'y « pourront point aller non plus tant que le juge- « ment n'aura pas été rendu par l'évêque de « Thérouanne et certifié par le roi... »

Dès ce moment, les d'Hirson abandonnèrent l'attitude conciliante qu'ils avaient observée jusque-là.

« Voyez votre neveu, Madame, voyez comme il triomphe ! » dit Pierre, le bailli d'Arras.

Robert d'Artois, en effet, échangeait des sourires avec ses cousins Valois.

« Tout n'est pas dit, mes amis, tout n'est pas dit ! murmura Mahaut, les mâchoires serrées. Vous ai-je jamais abandonné, Thierry ? »

Quand la lecture de la sentence d'arbitrage fut terminée, l'évêque de Soissons, qui avait participé aux négociations, s'avança. Il tenait un Evangile qu'il alla présenter aux alliés ; ceux-ci se levèrent tous ensemble et tendirent la main droite, tandis que Gérard Kiérez, en leur nom, jurait qu'ils respecteraient scrupuleusement l'arbitrage du roi. Puis l'évêque se dirigea vers Mahaut.

La pensée de Louis X, dans ce moment-là, voyageait sur les routes. « Pour ce pèlerinage d'Amiens, nous le ferons à pied, pendant les dernières lieues. Quant au reste, nous irons en char. Il nous faudra de bonnes bottes fourrées... Et puis j'emmènerai mes queux et mes sauciers, puisque je dois me défier des venins... Espérons que Clémence sera délivrée de ces douleurs qui la gênent pour l'amour... » Il rêvait, tout en contemplant les doigts d'or de la main de justice, quand soudain il entendit Mahaut prononcer d'une voix forte :

« Je refuse de jurer ; je ne scellerai point cette méchante sentence ! »

Un grand silence tomba sur l'assemblée. L'audace de ce refus, lancé à la face du souverain, effrayait. On se demandait quelle sanction terrible allait tomber de la bouche royale.

« Que se passe-t-il ? dit Louis en se penchant vers son chancelier. Pourquoi refuse-t-elle ? Cet arbitrage pourtant me semblait bien rendu. »

Il regardait les assistants, l'air absent et plus surpris que contrarié.

Robert d'Artois alors se leva et lança de sa voix de bataille :

« Sire mon cousin, allez-vous accepter qu'on vous brave et qu'on vous soufflette au visage ? Nous, vos parents et vos conseillers, ne le supporterons point. Voyez le gré qu'on vous a d'user de mansuétude ! Vous savez que, pour ma part, j'étais opposé à toute amiable convention avec Madame Mahaut, dont j'ai honte qu'elle soit de mon sang ; car toute bienveillance qu'on lui accorde ne l'encourage qu'à plus de vilenie. Me croira-t-on enfin, Messeigneurs, continua-t-il en prenant à témoin l'assemblée, me croira-t-on quand je dis, quand j'affirme, et depuis tant d'années, que j'ai été frustré, trahi, volé par ce monstre femelle qui n'a respect ni pour le pouvoir du roi ni pour le pouvoir de Dieu ! Mais faut-il s'en étonner de la part d'une femme qui n'a point obéi aux volontés de son père mourant, s'est approprié le bien qui ne lui revenait pas, et a profité de mon enfance pour me dépouiller ? »

Mahaut, debout, les bras croisés, regardait son neveu avec colère et mépris tandis qu'à deux pas d'elle l'évêque de Soissons hésitait à déposer le lourd Évangile.

« Savez-vous pourquoi, Sire, poursuivit Robert, Madame Mahaut refuse aujourd'hui votre arbitrage qu'elle acceptait hier ? Parce que vous y avez ajouté sentence contre Thierry d'Hirson, contre cette âme vendue et damnée, contre ce maître coquin dont je voudrais qu'on le déchaussât pour voir s'il n'a pas le pied fourchu ! C'est lui qui pour le compte de Madame Mahaut a si bien travaillé et travesti les écrits qu'il m'a fait perdre mon hoirie. Le secret de leurs mauvaises actions les a liés si honteusement que la comtesse Mahaut a dû pourvoir de bénéfices tous les frères et parents de Thierry, lesquels rançonnent le malheureux peuple d'Artois, si prospère autrefois, si misérable à présent qu'il n'a plus de recours que dans la révolte. »

Les alliés écoutaient, le visage comme ensoleillé, et l'on sentait qu'ils étaient sur le point d'acclamer Robert. Celui-ci, dans le même mouvement d'emphase, ajouta :

« Si vous avez le front, si vous avez l'audace,
Sire, de léser maître Thierry, de lui ôter la moindre parcelle de ses larcins, de menacer le petit
ongle du petit doigt du plus petit de ses neveux,
voici Madame Mahaut toutes griffes dehors, et
prête à cracher au visage de Dieu. Car les vœux
qu'elle a prononcés au baptême et l'hommage
qu'elle vous fit, genou en terre, ne pèsent rien
auprès de son allégeance envers maître Thierry,
son véritable suzerain ! »

Mahaut n'avait pas bougé.

« Le mensonge et la calomnie, Robert, coulent
comme salive de ta bouche, dit-elle. Prends garde
de ne jamais te mordre la langue, tu pourrais
en mourir.

— Taisez-vous, Madame ! cria brusquement le
Hutin. Taisez-vous ! Vous m'avez trompé ! Je
vous fais défense de retourner en Artois avant
d'avoir scellé la sentence qui vient de vous être
signifiée, et qui est une bonne sentence, chacun
me l'a dit. Jusque-là vous vous tiendrez en votre
hôtel de Paris ou votre château de Conflans,
mais nulle part ailleurs. C'est assez pour ce jour,
ma justice est rendue. »

Il fut pris d'une violente quinte de toux, qui
le ploya en deux sur son trône.

« Qu'il crève ! » dit Mahaut entre ses dents.

Le comte de Poitiers n'avait pas prononcé une
parole. Il balançait une jambe et se caressait
pensivement le menton.

TROISIÈME PARTIE

LE TEMPS DE LA COMÈTE

I

LE NOUVEAU MAITRE DE NEAUPHLE

LE second jeudi après l'Epiphanie, qui était jour
de marché, il y avait grande agitation à la banque lombarde de Neauphle-le-Château. On net-
toyait la maison de fond en comble ; le peintre
du village couvrait d'un enduit neuf l'épaisse
porte d'entrée ; on astiquait les coffres-forts dont
les traverses de fer brillaient mieux que l'argent ;
on passait le balai entre les poutres pour enlever
les toiles d'araignées ; on chaulait les murs, on
cirait les comptoirs ; et les commis, cherchant les
registres épars, les balances, les échiquiers à
calcul, avaient peine à garder leur calme devant
la clientèle.

Une jeune fille d'environ dix-sept ans, haute de
taille, belle de traits, les joues colorées par le
froid, franchit le sèuil et s'arrêta, surprise par ce

remue-ménage. Au manteau de camelin beige dont elle était emmitouflée, au fermail qui retenait son col, et à tout son maintien, on reconnaissait une fille de noblesse. Les villageois ôtèrent leur bonnet.

« Ah ! damoiselle Marie ! s'écria Ricardo, le premier commis. Soyez la bienvenue ! Entrez, et venez vous chauffer. Votre corbeillon est prêt, comme chaque semaine ; mais, dans tout ce mouvement, je l'ai fait serrer à part. »

Il fit passer la jeune fille dans une pièce voisine, qui servait de salle commune aux employés de la banque et où brûlait un grand feu. Il sortit d'un placard une corbeille d'osier, couverte d'une toile.

« Noix, huile, lard frais, épices, farine de froment, pois secs, et trois grosses saucisses, dit-il. Tant que nous aurons à manger, vous en aurez aussi. Ce sont les ordres de messire Guccio. Et j'inscris tout à son compte, comme de coutume... L'hiver commence à se faire long et je serais surpris qu'il ne se finît pas par une disette, ainsi que l'an passé. Mais cette année, nous serons mieux pourvus. »

Marie de Cressay prit le corbeillon.

« Point de lettre ? » demanda-t-elle.

Le premier commis secoua la tête avec une feinte tristesse.

« Eh non ! belle damoiselle, pas de lettre cette fois. »

Il sourit du désappointement de la jeune fille, et ajouta :

« Non, pas de lettre, mais une bonne nouvelle.

— Il est guéri ? s'écria Marie.

— Et pour qui croyez-vous que nous fassions

tous ces apprêts, en plein cœur de janvier, alors qu'on ne repeint jamais avant l'avril venu ?

— Ricardo ! Est-ce donc vrai ? Votre maître arrive ?

— Eh, si, par la Madone ! Il arrive ; il est à Paris et nous a fait annoncer qu'il serait ici demain.

— Que je suis heureuse ! que je suis heureuse de le revoir ! »

Puis, se reprenant, comme si l'explosion de sa joie eût manqué de pudeur, Marie ajouta :

« Toute ma famille va être bien heureuse de le revoir.

— Il a demandé qu'on lui aménage un logis. Tenez, damoiselle Marie, je voudrais votre avis sur ce que nous lui avons préparé, et que vous me disiez si vous le trouvez à votre goût. »

Il la conduisit à l'étage et ouvrit la porte d'une chambre de bonnes dimensions, mais basse de plafond, où les solives venaient d'être cirées. Elle était garnie de quelques meubles de chêne assez grossiers, d'un lit étroit, mais couvert d'un beau brocart d'Italie, de quelques objets d'étain et d'un chandelier. Marie fit des yeux le tour de la pièce.

« Tout ceci paraît fort bien, dit-elle. Mais j'espère que votre maître bientôt aura sa demeure au manoir. »

Ricardo sourit à nouveau.

« Je le crois aussi, répondit-il. Tout le monde, ici, je vous assure, s'intrigue bien de cette arrivée de messire Guccio et de la nouvelle qu'il veut résider parmi nous. Depuis hier, les gens ne cessent d'entrer et de nous déranger pour un rien, à croire que personne d'autre dans le bourg ne peut leur compter le change des douze deniers d'un sol. Tout cela pour s'ébaudir des travaux et s'en faire répéter la raison. Il faut dire que messire Guccio est moult aimé dans ce pays depuis qu'il a réussi à en chasser le prévôt Portefruit dont chacun avait à se plaindre. On va lui réserver grand accueil, et je le vois tout juste devenir le vrai maître de Neauphle... après vos frères, bien sûr », ajouta-t-il en reconduisant la jeune fille qu'il fit sortir par la porte du jardin.

Jamais le chemin qui séparait le bourg de Neauphle du manoir de Cressay n'avait paru plus court à Marie. « Il arrive... il arrive... il arrive..., se répétait-elle comme une chanson, en sautant d'une ornière à l'autre. Il arrive, il m'aime, et bientôt nous serons mariés. Il va être le vrai maître de Neauphle. » La corbeille de vivres était légère à son bras.

Dans la cour de Cressay, elle rencontra son frère Pierre qui sortait des écuries.

« Il arrive ! lui cria-t-elle.

— Qui arrive ? »

C'était la première fois depuis des mois que Pierre de Cressay voyait sa sœur manifester une vraie joie.

« Guccio arrive !

— Ah ! la bonne nouvelle ! dit le garçon. C'est un gentil compagnon et j'aurai plaisir à le revoir.

— Il vient demeurer à Neauphle, dont son oncle lui donne le comptoir. Et surtout... »

Elle s'arrêta ; mais incapable de taire son secret plus longtemps, elle attira le visage mal rasé de son frère, l'embrassa, et ajouta :

« Il va demander ma main.

— Ah bah ! fit Pierre. Et d'où te vient cette idée ?

— Ce n'est pas une idée, je le sais... je le sais... je le sais. »

Attiré par le bruit, Jean de Cressay, leur aîné, sortit à son tour de l'écurie où il était en train de panser lui-même son cheval. Il tenait un bouchon de paille à la main.

« Jean, il paraît qu'un beau-frère nous arrive de Paris, dit le cadet.

— Un beau-frère ? Le beau-frère de qui ?

— Notre sœur s'est trouvé un époux.

— Eh bien ! voilà une bonne chose », répondit Jean.

Il entrait dans le jeu de la bonne humeur et croyait à une farce de gamine.

Pierre de Cressay était blond, comme sa sœur ; Jean avait le poil châtain et portait barbe, une barbe touffue, mal entretenue.

« Et comment se nomme, reprit Jean, ce puissant baron qui convoite de s'unir à nos tours en ruine et à notre belle fortune de dettes ? J'espère au moins, ma sœur, qu'il est riche, car nous en avons grand besoin.

— Certes, il l'est, répondit Marie. C'est Guccio Baglioni. »

Au regard que lui lança son frère aîné, elle eut la certitude immédiate qu'elle courait à un drame. Elle eut froid tout à coup, et ses oreilles se mirent à bourdonner.

Jean de Cressay feignit encore quelques secondes de prendre l'affaire en plaisanterie, mais le ton de sa voix était changé. Il désirait savoir quelle raison incitait sa sœur à parler de la sorte. Avait-elle eu avec Guccio des relations ou paroles outrepassant les limites de l'honnêteté ? Lui avait-il écrit à l'insu de la famille ?

A chaque question, Marie répondait par une dénégation vague qui masquait bien mal son trouble croissant. Jean se faisait plus insistant. Pierre se sentait mal à l'aise. « J'aurais été mieux avisé de me taire », se disait-il.

Ils entrèrent tous trois dans la grand-salle du manoir où leur mère, dame Eliabel, filait la laine auprès de la cheminée. La châtelaine avait repris son embonpoint naturel grâce aux victuailles que chaque semaine, depuis la disette de l'hiver précédent, Guccio leur procurait.

« Regagne ta chambre », dit Jean de Cressay à sa sœur.

Comme aîné, il avait autorité de chef de famille. Lorsque Marie se fut retirée et qu'on eut entendu, à mi-étage, la porte se fermer, Jean mit sa mère au courant de ce qu'il venait d'apprendre.

« En es-tu sûr, mon garçon ? Est-ce possible ? s'écria dame Eliabel. A qui donc poindrait la sotte idée qu'une fille de notre sang, dont les pères ont la chevalerie depuis deux siècles, puisse épouser un Lombard ? Je suis certaine que ce jeune Guccio, qui est plaisamment tourné d'ailleurs, et montre de gentilles manières, n'y a jamais songé.

— Je ne sais pas s'il y a songé, ma mère, répondit Jean, mais je sais que Marie, elle, y songe. »

Les fortes joues de dame Eliabel se colorèrent.

« Cette enfant se monte la cervelle ! Si ce jeune homme, mes fils, est venu à plusieurs reprises nous visiter, et s'il nous a témoigné si grande amitié, c'est qu'il porte, je crois bien, plus d'intérêt à votre mère qu'à votre sœur. Oh ! sans déshonnêteté aucune ! se hâta d'ajouter dame Eliabel, et jamais un mot qui pût offenser n'a passé ses lèvres. Mais ce sont tout de même choses qu'on devine lorsqu'on est femme, et j'ai bien compris qu'il m'admirait... »

Ce disant, elle se redressait sur son siège et gonflait le corsage.

« Je n'en suis pas aussi assuré que vous, ma mère, répondit Jean de Cressay. Rappelez-vous qu'à son dernier passage, nous avons laissé Guccio seul, à plusieurs reprises avec notre sœur, alors qu'elle semblait si malade ; et c'est depuis ce moment qu'elle a recouvré la santé.

— Peut-être parce que depuis ce moment elle a commencé de manger à sa faim, et nous avec, fit remarquer Pierre.

— Oui, mais vous noterez que c'est toujours par Marie, depuis lors, que nous avons des nouvelles de Guccio. Son voyage en Italie, son accident de jambe... C'est toujours Marie que Ricardo informe, et jamais nul autre d'entre nous. Et cette grande insistance qu'elle met à aller chercher elle-même les vivres au comptoir ! Je pense qu'il y a là-dessous quelque machination sur laquelle nous n'avons pas assez ouvert les yeux. »

Dame Eliabel abandonna sa quenouille, chassa de la main les brins de laine épars sur sa jupe et, se levant, dit d'un ton outragé :

« En vérité, ce serait grande vilenie de la part de ce jouvenceau que d'avoir fait usage de sa fortune mal acquise pour suborner ma fille, et prétendre acheter notre alliance par des dons de bouche ou de vêtements, alors que l'honneur d'être notre ami devrait largement suffire à le payer. »

Pierre de Cressay était seul dans la famille à

posséder un sens à peu près juste des réalités. Il
était simple, loyal, et sans préjugés. Les déclarations qu'il entendait, tissues de mauvaise foi, de
jalousie et de vaines prétentions, l'irritèrent.

« Vous semblez oublier l'un et l'autre, dit-il,
que l'oncle de Guccio a toujours sur nous une
créance de trois cents livres qu'on nous fait la
grâce de ne pas nous réclamer, non plus que les
intérêts qui ne cessent de s'allonger. Et si nous
n'avons pas été saisis, terres et murs, par le prévôt Portefruit, c'est bien à Guccio que nous le
devons. Rappelez-vous aussi qu'il nous a évité de
mourir de famine en nous fournissant des victuailles que nous n'avons jamais payées. Avant
de l'écarter, songez un peu si vous pouvez vous
acquitter. Guccio est riche et le sera plus encore
avec les années. Il est fort protégé, et si le roi de
France l'a trouvé d'assez bonne apparence pour le
joindre à l'ambassade qui allait à Naples chercher
la nouvelle reine, je ne vois pas que nous ayons
tant à faire les difficiles. »

Jean haussa les épaules.

« C'est encore Marie qui nous a conté cela,
dit-il. Il y est allé comme marchand, pour faire
son négoce.

— Et même si le roi l'a envoyé à Naples, cela
ne veut pas dire qu'il lui donnerait sa fille !
s'écria dame Eliabel.

— Ma pauvre mère... répliqua Pierre ; Marie
n'est pas la fille du roi de France, que je sache !
Elle est fort belle, certes...

— Je ne vendrai pas ma sœur pour argent »,
cria Jean de Cressay.

Ses yeux brillaient au milieu d'un poil hirsute.

« Tu ne la vendrais pas, non, répondit Pierre ;

mais tu t'accommoderais pour elle d'un barbon, sans t'offenser qu'il fût riche, à condition qu'il traînât éperons à ses talons goutteux. Si elle aime Guccio, tu ne la vends pas !... La noblesse ? Bah ! nous sommes assez de deux garçons pour la maintenir. Je me dois de vous dire que je ne verrais pas ce mariage d'un si mauvais regard.

— Et tu ne verrais point non plus d'un mauvais regard ta sœur installée à Neauphle, dans notre fief, derrière un comptoir de banque, à peser le billon et à trafiquer de l'épice ? Tu déraisonnes, Pierre, et je me demande d'où peut te venir si peu de respect de ce que nous sommes, dit dame Eliabel. En tout cas, je ne consentirai jamais à une telle mésalliance, et ton frère non plus ; n'est-il pas vrai, Jean ?

— Certes, ma mère, et c'est déjà trop que d'en débattre. Je prie Pierre de n'en plus jamais parler.

— C'est bon, c'est bon, tu es l'aîné ; agis comme tu l'entends, dit Pierre.

— Un Lombard ! un Lombard ! reprit dame Eliabel. Ce jeune Guccio arrive, me dites-vous ? Laissez-moi faire, mes fils. La créance et les obligations que nous lui avons nous empêchent de lui fermer notre porte. Soit, nous allons bien le recevoir ; mais s'il est fourbe, je le serai aussi, et je me charge de lui ôter l'envie de venir à nouveau, si c'est pour le motif que nous craignons ! »

II

LA RÉCEPTION DE DAME ELIABEL

Le lendemain, dès l'aube, il semblait que la fièvre qui agitait le comptoir de Neauphle eût gagné le manoir de Cressay. Dame Eliabel bousculait sa servante et six serfs du domaine avaient été requis en corvée pour la journée. On lavait les dalles à grande eau, on dressait la table, on entassait les bûches de part et d'autre de la cheminée ; l'écurie était garnie de paille fraîche, la cour balayée ; dans la cuisine, un marcassin et un mouton entiers tournaient déjà sur leur broche ; les pâtés cuisaient au four ; et le bruit se répandait dans le hameau que les Cressay attendaient un envoyé du roi.

L'air était froid, léger, traversé d'un pâle soleil de janvier qui égayait les branchages nus et posait dans les flaques des chemins quelques gouttes de lumière.

Guccio arriva en fin de matinée, couvert d'un manteau doublé de fourrure, coiffé d'un large chaperon de drap vert dont la crête lui retombait sur l'épaule, et monté sur un beau cheval bai, bien nourri et finement harnaché. Il était accompagné d'un valet, et sentait d'une lieue l'homme riche.

Il trouva la châtelaine et ses deux fils en vêtements de fête. L'accueil qu'on lui fit, l'empressement des serviteurs, les embrassades de dame Eliabel, l'apprêt du couvert et de la maison lui parurent signes d'excellent augure. Marie, d'évidence, avait parlé à sa famille. On savait pourquoi il venait, et on le traitait déjà comme le fiancé. Pierre de Cressay, toutefois, montrait un peu de gêne.

« Mes bons amis, s'écria Guccio, que j'ai donc de joie à vous revoir ! Mais il ne fallait pas vous mettre tellement en frais. Traitez-moi tout juste comme si j'étais de votre famille. »

Le mot déplut à Jean, qui échangea un regard avec sa mère.

Guccio avait un peu changé d'aspect. De son accident, il lui restait une légère raideur dans la jambe droite qui n'était pas sans donner quelque élégance hautaine à sa démarche. Les semaines d'immobilité sur un lit d'hôpital avaient favorisé une dernière poussée de croissance. Ses traits s'étaient accusés ; son visage offrait une expression plus sérieuse, mûrie. L'adolescence chez lui s'effaçait pour lui laisser prendre son apparence d'homme.

Sans avoir rien perdu de son assurance d'antan, bien au contraire, il se donnait moins de mal pour en imposer à autrui. Il parlait avec moins d'accent et un peu plus de lenteur, mais toujours avec autant de gestes.

Regardant les murs autour de lui comme si déjà il en était le maître, il demanda aux frères Cressay s'ils avaient l'intention d'effectuer quelques réparations sur leur manoir.

« J'ai vu en Italie, dit-il, certains plafonds à peinture qui seraient ici du meilleur effet. Et votre salle d'étuve, ne comptez-vous pas la rebâtir ? On en fait aujourd'hui de petites qui ont beaucoup de commodité et, à mon avis, ceci est indispensable aux soins du corps, pour les gens de qualité. »

Il fallait comprendre, en sous-entendu : « Je suis prêt à payer tout cela, car c'est ainsi que j'aime à vivre. » Guccio avait également des idées sur le mobilier, sur les tapisseries à suspendre aux murailles pour les égayer. Il commençait à fort agacer Jean de Cressay, et Pierre lui-même estimait que c'était aller un peu vite en besogne que de parler, au débotté, de refaire déjà toute la maison.

Guccio devisait ainsi, de choses et d'autres, depuis une demi-heure, et Marie n'était toujours pas apparue. « Peut-être, pensa-t-il, dois-je d'abord me déclarer... »

« Aurai-je le plaisir de voir Mlle Marie ; nous fait-elle compagnie pour dîner ?

— Certes, certes ; elle s'apprête, elle descendra tout à l'heure, répondit dame Eliabel. Vous allez la trouver bien différente ; elle est tout à son nouveau bonheur. »

Guccio se leva, le cœur battant.

« Vraiment ? s'écria-t-il. Oh ! dame Eliabel, quelle joie vous me causez !

— Oui, et nous aussi, nous sommes bien joyeux de pouvoir nous louer de cette bonne nouvelle avec un ami tel que vous. Notre chère Marie est fiancée... »

Elle marqua un temps.

« ... elle est fiancée à l'un de nos parents, le sire de Saint-Venant, un gentilhomme d'Artois de fort vieille noblesse qui s'est épris d'elle, et dont elle est éprise. »

Guccio demeura un instant comme dans le brouillard, incapable de parler, tripotant machinalement le reliquaire d'or que lui avait donné la reine Clémence et qui brillait sur son justaucorps de deux couleurs, à la dernière mode italienne. Il entendit Jean de Cressay ouvrir une porte et appeler sa sœur.

Faisant effort pour se reprendre, Guccio dit, d'une voix qui lui sembla celle d'un autre :

« Et quand les noces auront-elles lieu ?

— Aux premiers jours de l'été, répondit dame Eliabel.

— Mais c'est tout juste comme si c'était fait, précisa Jean de Cressay, car les paroles sont échangées. »

Celle à qui Guccio dédiait ses pensées depuis tant de mois, dont il avait si souvent parlé à Clémence de Hongrie, à Bouville, à Tolomei, et qui avait été dans l'éloignement et la maladie le centre de ses rêves, entra, raide, distante, mais les yeux rouges. Elle souhaita du bout des lèvres la bienvenue à Guccio. Il se contraignit à la féliciter, et elle mit autant de dignité qu'elle put à recevoir ses compliments. Elle était tout près d'éclater en sanglots, mais réussit à se dominer, si bien que Guccio prit pour une froideur réelle ce qui n'était chez Marie que la crainte de se trahir et d'encourir les châtiments dont on l'avait menacée.

Le repas, trop copieux, fut pénible. Dame Elia-bel, se délectant de sa propre perfidie, jouait la gaieté, obligeait son hôte à reprendre de chaque plat et ordonnait aux serviteurs de lui porter un nouveau quartier de mouton ou de marcassin sur sa tranche de pain.

« Avez-vous perdu l'appétit en vos longs voyages ? s'écriait-elle. Allons, allons, messire Guccio, il faut se bien nourrir à votre âge. N'est-ce point de votre goût ?... Servez-vous mieux de ce pâté ! »

Pas une fois Guccio ne put rencontrer le regard de Marie.

« Elle ne paraît pas trop fière d'avoir renié la foi qu'elle m'avait jurée, pensait-il. N'ai-je donc échappé à la mort que pour recevoir pareil affront ! Ah ! mes craintes n'étaient pas vaines, quand je désespérais à l'Hôtel-Dieu de Marseille. Et ces absurdes lettres que je lui ai envoyées ! Mais pourquoi m'avoir fait répondre par Ricardo qu'elle demeurait dans les mêmes pensées, et qu'elle se languissait de m'attendre... alors qu'elle s'engageait ailleurs ? Cela est traîtrise et je ne le pardonnerai jamais. Ah ! le mauvais dîner que voilà ! Jamais je n'en ai goûté de pire. »

La recherche d'une vengeance est parfois un dérivatif au chagrin. « Je pourrais, bien sûr, pensait Guccio, exiger immédiatement le remboursement de la créance, et peut-être cela les mettrait-il en telle difficulté qu'il leur faudrait renoncer aux noces. » Mais le procédé lui parut d'une inadmissible bassesse. Avec des bourgeois, il en aurait peut-être usé ainsi ; avec des gentils-

hommes qui prétendaient l'écraser de leur noblesse, il cherchait une réponse de gentilhomme.
Il voulait leur prouver qu'il était plus grand seigneur que tous les Cressay et tous les Saint-Venant de la terre.

Ce souci l'occupa pendant la fin du repas.
Comme on disposait les desserts, il détacha soudain son reliquaire et le tendit à la jeune fille
en disant :

« Voici, belle Marie, le cadeau qu'il me plaît
de vous offrir pour vos noces. C'est la reine
Clémence... oui, c'est la reine de France qui me
l'a elle-même attaché au col pour les services
que je lui ai portés et l'amitié dont elle m'ho-
nore. Une relique de saint Jean Baptiste y est enfermée. Je ne pensais pas vouloir jamais m'en
séparer ; mais il semble qu'on puisse se défaire
sans peine de ce qu'on tenait pour le bien le plus
cher... Que ceci donc vous protège, ainsi que les
enfants que je vous souhaite d'avoir avec votre
gentilhomme d'Artois. »

Il n'avait trouvé que cette manière à la fois de
témoigner son mépris et de prouver aux Cressay
qu'ils avaient fait fi, en sa personne, d'un beau
parti. C'était payer cher l'occasion d'une phrase.
Décidément, envers ces gens qui n'avaient pas
trois deniers vaillants, les grands mouvements
d'âme de Guccio se soldaient toujours par un
geste coûteux. Venu pour prendre, il s'en allait
immanquablement en ayant donné.

Marie eut grand-peine à ne pas fondre en
larmes. Ses mains tremblaient lorsqu'elle approcha le reliquaire de ses lèvres. Mais Guccio s'était
déjà détourné.

Prétextant sa blessure récente et la fatigue du

voyage, il prit congé sur-le-champ, appela son valet, passa son manteau fourré, sauta en selle et
sortit de la cour de Cressay avec la certitude qu'il
n'y remettrait plus les pieds.

« A présent, il nous faudrait tout de même
écrire au cousin de Saint-Venant », dit dame
Eliabel à ses fils lorsque Guccio eut passé le portail.

Rentré au comptoir de Neauphle, Guccio ne
desserra pas les dents de la soirée. Il se fit présenter les livres et feignit de s'absorber dans
l'examen des comptes. Le commis Ricardo comprit bien que les affaires de son jeune maître
avaient rencontré quelque traverse ; mais il jugea
prudent de s'abstenir d'aucune question.

Guccio passa une nuit sans sommeil dans l'appartement qu'on lui avait préparé avec tant de
soin pour un long séjour. Maintenant, il regrettait son reliquaire, il regrettait sa décision de se
fixer à Neauphle, il regrettait ses lettres, il regrettait tout. « Elle ne méritait pas tant ; je ne
suis qu'un sot... Et l'oncle Spinello, comment va-
t-il prendre mon retour ? se demandait-il en s'agitant entre les draps rugueux. Car je ne demeu-
rerai pas ici un jour de plus, après une telle hu-
miliation... Je n'en ferai jamais d'autres et le sort,
vraiment, m'est contraire. Je pouvais revenir dans
l'escorte de la reine et obtenir une charge dans
sa maison ; je manque le quai pour avoir voulu
sauter trop vite, et me voilà en hospice pendant
six mois. Au lieu de rentrer à Paris et d'y travailler à ma fortune, je me précipite en ce bourg
perdu, afin d'épouser une fille de campagne dont
je me monte la tête depuis bientôt deux ans,
comme s'il n'était d'autre femme à travers le

monde !... et je la trouve engagée à un niais de sa race. Beau travail ! »

Au matin, épuisé de regrets, de rancune et d'insomnie, il fit boucler son bagage et seller son cheval. Il avalait un bol de soupe, avant de partir, lorsque la servante qu'il avait vue la veille à Cressay se présenta au comptoir et demanda à lui parler sans témoin. Elle était chargée d'un message : Marie, qui avait réussi à s'échapper pour une heure, attendait Guccio à mi-chemin entre Neauphle et Cressay, au bord de la Mauldre, « à l'endroit que vous savez bien », ajouta-t-elle.

Guccio comprit qu'il s'agissait du clos de pommiers, au bord de la rivière, où Marie et lui avaient échangé leur premier baiser.

« Dites à Mme Marie que c'est de sa part un soin inutile, car, pour la mienne, je ne souhaite plus la rencontrer.

— Mme Marie fait peine à voir, dit la servante. Je vous jure, messire, que vous devriez aller la retrouver ; si l'on vous a offensé, cela ne vient point d'elle. »

Sans daigner répondre, il se mit en selle et s'engagea sur la route. « Le quai de Marseille... le quai de Marseille... Que cela me serve de leçon, se disait-il. Assez de sottises. Dieu sait ce qui m'attend encore si je la revois ! Qu'elle mange donc ses larmes toute seule, s'il lui vient envie de pleurer ! »

Il parcourut ainsi deux cents toises en direction de Paris ; puis brusquement, devant son valet stupéfait, il fit volter son cheval, le mit au galop et coupa à travers champs.

En quelques minutes, il fut au bord de la Mauldre ; il aperçut le clos et, sous les pommiers, Marie qui l'attendait.

III

RUE DES LOMBARDS

Lorsque Guccio, en fin de journée, entra dans la cour de la banque Tolomei, rue des Lombards, son cheval était couvert d'écume.

Guccio lança les rênes au valet, traversa la longue salle des comptoirs, déserte à cette heure, et grimpa, aussi vite que le lui permettait sa hanche raide, l'escalier qui menait au cabinet de son oncle.

Il ouvrit la porte ; la lumière était masquée par le dos de Robert d'Artois. Celui-ci se retourna.

« Ah ! c'est la Providence qui vous envoie, ami Guccio, s'écria-t-il en ouvrant les bras. Je demandais justement à votre oncle un messager diligent et sûr pour courir sur-le-champ en Artois joindre messire de Fiennes. Mais il vous faudra être prudent, mon jouvenceau, ajouta-t-il comme si l'acceptation de Guccio ne pouvait faire de doute ; car mes bons amis d'Hirson ne ménagent pas leur peine, et ils ont lâché leurs chiens sur tout ce qui vient de chez moi.

— Monseigneur, répondit Guccio encore essoufflé, Monseigneur, j'ai manqué vomir mon âme sur la mer, l'autre année, pour aller vous servir en Angleterre ; je viens de passer six mois couché pour m'être rendu à Naples au service du roi, et toutes ces courses n'ont guère fait pour ma félicité. Vous permettez que, cette fois, je ne vous obéisse point, car j'ai mes propres affaires qui ne souffrent plus de délai.

— Je vous paierai si bien que vous ne le regretterez pas.

— Pour mille livres, Monseigneur, je n'irai point ! s'écria Guccio. Et surtout pas en Artois. »

Robert se tourna vers Tolomei qui se tenait en retrait, les mains croisées sur le ventre.

« Dites-moi, ami banquier, avez-vous jamais entendu chose pareille ? Pour qu'un Lombard refuse mille livres, que je ne lui ai pas offertes au demeurant, il faut qu'il ait de sérieux motifs. Votre neveu ne serait-il point payé par maître Thierry... que Dieu l'étrangle, celui-là, et avec ses propres tripes, s'il est possible ! »

Tolomei se mit à rire.

« Ne craignez rien, Monseigneur ; je soupçonne mon neveu d'être plutôt requis ces jours-ci par une intrigue d'amour avec une dame de noblesse...

— Ah ! s'il y a service de dame, dit d'Artois, je n'y peux rien, et lui pardonne son refus. Mais cela ne m'avance guère.

— J'ai ce qu'il vous faut, ne vous mettez pas en peine, répondit Tolomei ; un excellent mes-

sager, qui vous servira d'autant plus discrètement qu'il ne vous connaît pas. Et puis... une
robe de moine se fait peu remarquer par les
chemins.

— Un moine ? »

Et Robert d'Artois fit la moue.

«... italien, ajouta le banquier.

— Ah ! c'est déjà mieux... Car voyez-vous, Tolomei, je veux réussir un grand coup. Puisque,
sauf à enfreindre les ordres du roi, ma tante Mahaut ne peut présentement s'éloigner de Paris,
je me propose de faire investir par mes alliés son
château d'Hesdin, ou plutôt *mon* château d'Hesdin. Je me suis acquis... oui, avec votre or, vous
alliez le dire !... je me suis acquis la conscience
de deux sergents de cette bonne comtesse, deux
coquins comme tous ceux qu'elle emploie, ven-
dables au plus offrant, et qui laisseront mes amis
pénétrer dans la place. Si je ne peux jouir de ce
qui m'appartient, au moins j'escompte un solide
pillage dont je vous chargerai de vendre le butin.

— Eh là, Monseigneur, vous me mêlez à une
belle affaire !

— Bah ! pendu pour pendu, autant que ce soit
pour quelque chose ! Puisque vous êtes banquier,
vous êtes voleur, et le recel n'est point pour vous
effrayer ; je ne détourne jamais les gens de leur
état. »

Depuis l'arbitrage, il était de la meilleure humeur du monde. Il remit au banquier le message
qu'il voulait faire parvenir en Artois.

« Au sire de Fiennes, n'est-ce pas, et à nul autre. Souastre et Caumont sont trop surveillés...
Adieu, ami, je vous aime bien. »

Il se leva, agrafa le fermail d'or de son man-

teau ; puis, plaquant les mains aux épaules de
Guccio :

« Amusez-vous, mon gentillet, amusez-vous avec
les dames de haut lignage ; c'est de votre âge.
Quand vous aurez pris quelques années, vous
saurez qu'elles sont aussi catins que les autres,
et que les plaisirs dont elles se font marchandes,
on les a pour dix sols au bordeau. »

Il sortit, et l'on entendit pendant plusieurs secondes son grand rire résonner dans l'escalier.

« Alors, mon neveu, à quand la noce ? demanda
Tolomei. Je ne t'attendais pas si vite.

— Mon oncle, mon oncle, il faut que vous
m'aidiez ! s'écria Guccio. Savez-vous que ces gens
sont des monstres, qu'ils ont interdit à Marie de
me revoir, que leur cousin du Nord est vieux et
difforme, et qu'elle va sûrement en mourir !

— Quelles gens ? quel cousin ? demanda Tolomei. J'ai l'impression, mon garçon, que tes affaires n'ont pas avancé comme tu l'espérais.
Conte-moi donc cela, en y mettant un peu d'ordre. »

Guccio fit alors à son oncle le récit de sa visite
à Neauphle. Avec un sens tout latin de la tragé-
die, il ne manqua pas de noircir le tableau. La
jeune fille était séquestrée ; elle avait risqué la
mort, courant à travers les champs, pour sup-
plier Guccio de la sauver. La famille Cressay
voulait la marier de force à un lointain parent,
personnage chargé de toutes les disgrâces corpo-
relles et morales.

« Un vieillard de quarante-cinq ans ! s'écria
Guccio.

— Jeune vieillard... murmura Tolomei.

— Mais Marie n'aime que moi, elle me l'a dit

et redit. Et je sais bien qu'elle mourra si on la contraint d'en épouser un autre. Mon oncle, il faut m'aider.

— Mais de quelle manière veux-tu que je t'aide, mon ami ?

— Il faut m'aider à enlever Marie. Je l'emmènerai en Italie, nous séjournerons là-bas... »

Spinello Tolomei, un œil clos, l'autre ouvert, observait son neveu d'un air mi-inquiet, mi-amusé.

« Je t'avais averti, mon garçon ; je pensais bien que cela ne serait pas si facile, et que tu avais tort d'aller t'enticher d'une fille de noblesse. Ces gens-là n'ont pas leur chemise à eux ; ils nous doivent jusqu'au lit dans lequel ils dorment, mais ils nous crachent au nez si nos garçons veulent y coucher. Oublie cette aventure, crois-moi. Lorsqu'on nous fait insulte, c'est généralement que nous avons tendu la tête pour la recevoir. Choisis donc quelque belle fille de nos familles, fortement pourvue de l'or de nos banques, qui te donnera d'aussi beaux enfants, et dont le char éclaboussera les pieds crottés de ta jouvencelle de campagne. »

Guccio eut une soudaine inspiration.

« Saint-Venant, n'est-ce pas le nom d'un des alliés d'Artois ? s'écria-t-il. Si j'allais porter le message de Mgr Robert, et puis trouver ce Saint-Venant, le provoquer et le tuer ? »

Il avait déjà la main sur la dague.

« Bonne chose, dit Tolomei, et qui ne fera pas de bruit. Et puis les Cressay choisiront pour ta belle un autre parti, en Bretagne ou en Poitou, et il faudra que tu ailles le tuer aussi. Tu te prépares du travail !

— J'épouserai Marie ou personne, mon oncle, et je ne laisserai personne l'épouser. »

Tolomei éleva les mains au-dessus de la tête.

« La voilà bien la jeunesse ! Dans quinze ans, de toute façon, ta femme sera laide ; et tu te demanderas, en la regardant, si ce visage fripé, ce gros ventre, ces mamelles pendantes valaient vraiment la peine que tu t'es donnée.

— Ce n'est pas vrai, ce n'est pas vrai ! Et puis, je ne pense pas à quinze ans en avant, mais au jour où je suis, et je sais que rien au monde ne peut me remplacer Marie. Elle m'aime.

— Elle t'aime, dis-tu ? Alors, mon garçon, si elle t'aime si fort, le mariage n'est pas un état indispensable pour être heureux à deux. L'évêque de Paris te tiendrait évidemment un autre langage ; mais moi je t'invite à te réjouir de ce qu'on veuille donner à cette beauté un mari goitreux, difforme et qui perd ses dents, selon le portrait que tu m'en fais sans l'avoir vu... Rien ne peut mieux te favoriser.

— Ah ! mon oncle, vous ne connaissez pas Marie, sa pureté, ni la force de sa religion. Elle ne sera à moi que par mariage, et jamais elle n'appartiendra qu'à celui auquel elle se sera unie devant Dieu... Pour ce qui me regarde, je n'accepterais pas de la partager... Si c'est ainsi, je l'enlèverai sans votre aide, dussions-nous courir les routes comme des gueux et mourir de froid en passant les montagnes. Mais d'abord, je vais aller trouver la reine Clémence ; elle me connaît, et me tient en amitié... »

Tolomei frappa légèrement la table du bout des doigts. Son œil ordinairement clos s'était brusquement ouvert.

« Maintenant, tu vas te taire, dit-il sans presque hausser le ton. Tu n'iras trouver personne,
et surtout pas la reine, car nos affaires ne vont
pas si fort depuis qu'elle est là que nous ayons
besoin d'attirer l'attention sur nous par un scandale. La reine est toute bonté, toute charité, toute
pitié, oui, je sais ! En attendant, depuis qu'elle
a pris empire sur l'esprit du roi, nous, les Lombards, on nous taille jusqu'au sang. C'est avec
notre bien que le Trésor fait l'aumône ! On nous
reproche de prêter avec usure ; on nous charge
de tous les péchés du royaume. Mgr de Valois
nous défend peu et nous déçoit beaucoup... La
reine Clémence te dispensera de douces paroles
et force bénédictions ; mais je connais des gens
à la cour qui se complairaient à te faire appliquer le châtiment réservé aux séducteurs de demoiselles nobles, ne serait-ce que pour retourner
le grief contre moi, capitaine général des Lombards. Le vent ne souffle plus du même côté ; au
vrai, on ne sait plus de quel côté il souffle. Les
amis d'Enguerrand de Marigny, qui ne m'avait
guère en grâce, ont été libérés et forment parti
autour du comté de Poitiers... »

Mais Guccio n'entendait rien ; il se moquait,
pour le présent, des taxes, des ordonnances, et
des dispositions du pouvoir. La perspective
même de la prison et d'un procès ne l'effrayait
pas. Il s'obstinait dans son projet ; sans l'appui
de personne, il enlèverait Marie.

« Mais, pauvre disgracié, dit Tolomei en se touchant le front, vous ne ferez pas dix lieues
sans être arrêtés. Ta donzelle sera mise au couvent ; quant à toi... Tu veux l'épouser ? Bon !
Je vais tenter de t'en fournir le moyen, puisqu'il

semble que ce soit la seule façon de te guérir... »

Et sa paupière gauche retomba.

« Folie pour folie, puisque fou il y a, ce sera toujours moins grave que de te laisser agir seul, ajouta-t-il. Mais pourquoi doit-on servir les sottises de sa famille ! »

Il agita une clochette ; un commis se présenta.

« Va au couvent des frères augustins, lui dit Tolomei, me querir fra Vicenzo qui est arrivé l'autre matin de Pérouse... »

IV

LE MARIAGE DE MINUIT

DEUX jours plus tard, Guccio reprenait la route de Neauphle en compagnie du moine italien qui devait délivrer le message de Mgr Robert aux alliés d'Artois. Largement défrayé, fra Vicenzo avait volontiers consenti ce détour afin de rendre à Tolomei deux services au lieu d'un.

Ce religieux itinérant, employé par son ordre à courir les chemins entre la France et l'Italie, n'en était pas à sa première intrigue. Et le banquier, améliorant un peu la vérité, avait su présenter les ennuis de son neveu sous un jour assez pathétique. Guccio ayant séduit une jeune fille, et commis avec elle les fautes de la chair, Tolomei ne voulait pas que ces deux enfants vécussent plus longtemps dans l'état de péché. Mais il faudrait procéder discrètement, pour ne pas éveiller les soupçons de la famille...

Guccio et son moine se présentèrent à la nuit venue au manoir de Cressay. Dame Eliabel et ses enfants étaient prêts à se mettre au lit.

Le jeune Lombard leur demanda l'hospitalité, prétextant qu'il n'avait pas les clefs de son logis de Neauphle, que ses commis étaient à Montfort et qu'il lui fallait abriter cet homme d'Eglise venu lui porter des nouvelles de Toscane. Comme Guccio avait dormi au manoir à plusieurs reprises, et sur l'insistance des Cressay eux-mêmes, sa démarche ne parut pas autrement surprenante ; la famille s'efforça de lui faire bon accueil.

« Fra Vicenzo et moi logerons dans la même chambre », dit Guccio.

Fra Vicenzo montrait un visage rond qui inspirait confiance tout autant que son habit ; en outre, il ne parlait qu'italien, ce qui le dispensait de répondre à aucune question.

Durant le frugal souper offert aux voyageurs, nulle allusion ne fut faite au prétendu engagement de Marie à un lointain cousin ; chacun semblait souhaiter éviter le sujet.

Marie n'osait pas regarder Guccio, mais le jeune homme profita de ce qu'elle passait près de lui pour lui souffler :

« Cette nuit, ne vous endormez pas, et soyez prête à sortir. »

Au moment de se séparer, fra Vicenzo adressa à Guccio une phrase incompréhensible pour les Cressay, où il était question de *chiave* et de *capella*.

« Fra Vicenzo demande, traduisit Guccio, si

vous pouvez lui confier la clef de la chapelle, car il doit repartir fort tôt, et voudrait dire sa messe auparavant.

— Ne désire-t-il pas, répondit la châtelaine, que l'un de mes fils l'aide à dire son office ? »

Guccio se récria. Fra Vicenzo se lèverait vraiment très tôt, avant la pointe du jour, et insistait pour que personne ne se dérangeât. Mais lui, Guccio, se ferait un devoir et un honneur de l'assister.

Dame Eliabel remit donc au moine une chandelle, la clef de la chapelle et celle du tabernacle ; puis on se sépara.

« Ce Guccio, je crois décidément que nous l'avons mal jugé ; il est bien respectueux des choses de la religion », dit Pierre de Cressay à son frère en se dirigeant vers leur appartement, dans l'aile gauche de la maison.

Dame Eliabel occupait la chambre seigneuriale, au rez-de-chaussée. Marie logeait à mi-étage de la tour carrée par laquelle on accédait aux pièces réservées pour les hôtes.

Une fois enfermés dans celle qui leur avait été apprêtée, fra Vicenzo invita Guccio à se confesser. Et soudain Guccio s'émerveilla des étranges agencements du destin qui l'amenaient, lui, petit Siennois né dans un des plus riches palais de sa ville, à se trouver là, agenouillé sur un plancher disjoint, au milieu de la campagne d'Ile-de-France, et se préparant l'âme devant un moine pérugin qu'il connaissait à peine, pour épouser nuitamment, au risque de sa vie s'il était découvert, une fille de pauvre chevalier. Seuls les battements précipités de son cœur lui rappelaient que c'était bien à lui, au Guccio de tous les jours, que telle chose arrivait.

Vers minuit, alors que tout le manoir était plongé dans le silence, Guccio et le moine sortirent à pas de loup de leur chambre. Le jeune homme alla gratter doucement à la porte de Marie ; la jeune fille parut aussitôt. Sans un mot, Guccio lui prit la main ; ils descendirent tous trois l'escalier à vis et gagnèrent l'extérieur par les cuisines.

« Voyez, Marie, murmura Guccio, il y a des étoiles... Le frère va nous unir. »

Marie ne témoignait ni surprise ni réticence. Trois jours plus tôt, dans le verger de pommiers, Guccio lui avait promis de revenir promptement, et il était revenu ; de l'épouser, et il allait le faire. Peu importaient les circonstances ; elle lui était entièrement, totalement soumise.

Un chien grogna, puis, ayant reconnu Marie, se tut. La nuit était glacée, mais ni Guccio ni Marie ne sentaient le froid.

Ils entrèrent dans la chapelle. Fra Vicenzo alluma le cierge à la lampe minuscule qui brûlait au-dessus de l'autel. Bien que nul ne pût les entendre, ils continuaient à parler à voix basse. Le moine demanda si la fiancée s'était confessée. Elle répondit qu'elle l'avait fait l'avant-veille, et fra Vicenzo lui donna l'absolution pour les péchés qu'elle aurait pu commettre depuis.

Quelques minutes plus tard, par l'échange de deux « oui » étouffés, le neveu du capitaine général des Lombards de Paris et la demoiselle de Cressay étaient unis devant Dieu, sinon devant les hommes.

« J'aurais voulu vous offrir de plus somptueuses noces, murmura Guccio.

— Pour moi, mon doux aimé, il n'en peut être de plus belles, répondit Marie, puisque c'est à vous qu'elles me lient. »

Ils revinrent sans difficulté dans la maison, remontèrent l'escalier. Arrivés à mi-étage, fra Vicenzo prit Guccio par les épaules et le poussa doucement dans la chambre de Marie...

Depuis près de deux ans, Marie aimait Guccio. Depuis près de deux ans, elle ne pensait qu'à lui et ne vivait que de l'espoir de lui appartenir. Maintenant que sa conscience était en paix et que l'effroi de la damnation était écarté, rien ne l'obligeait plus à contenir sa passion.

La souffrance des filles, à l'instant de leurs noces charnelles, vient plus souvent de la peur que de la nature. Marie avait le goût de l'amour avant que de l'avoir connu ; elle s'y abandonna avec franchise, avec éblouissement. Guccio, pour sa part, bien qu'il n'eût que dix-neuf ans, possédait assez d'expérience pour éviter les hâtes maladroites. Il fit de Marie, cette nuit-là, une femme heureuse ; et comme, en amour, on ne reçoit qu'à la mesure de ce qu'on donne, il fut lui-même comblé.

Vers quatre heures, le moine vint les réveiller, et Guccio regagna sa chambre. Puis fra Vicenzo descendit avec quelque bruit, passa par la chapelle, alla sortir sa mule de l'écurie et disparut dans la nuit.

Aux premières lueurs de l'aurore, dame Eliabel entrouvrit la porte de la chambre des voyageurs et jeta un coup d'œil à l'intérieur. Guccio dormait d'un bon sommeil au souffle régulier ;

ses cheveux noirs bouclaient sur l'oreiller ; son visage avait une expression de paix et d'enfance.

« Ah ! le joli cavalier que voilà ! » pensa dame Eliabel en soupirant.

V

LA COMÈTE

Dᴀɴs ce même temps de la fin janvier où Guccio Baglioni épousait secrètement Marie de Cressay, la cour de France, pour accomplir le vœu de la reine Clémence, effectuait le pèlerinage d'Amiens.

Après avoir franchi, les pieds dans la boue, la dernière partie du chemin, et traversé la ville en chantant des psaumes, les pèlerins royaux parcoururent à genoux la nef de la cathédrale, pour parvenir au bout d'une lente et pénible reptation devant la tête présumée de saint Jean Baptiste, exposée dans une chapelle latérale.

La relique provenait d'un nommé Wallon de Sartou, croisé en 1202, qui s'était fait en Terre sainte chercheur de pieuses dépouilles et avait rapporté dans ses bagages trois pièces inestimables : le chef de saint Christophe, celui de saint Georges, et une partie de celui de saint Jean.

Entourée d'innombrables cierges et de milliers d'ex-voto accumulés pendant un siècle, la relique d'Amiens n'était constituée que des os du visage enchâssés dans un reliquaire de vermeil dont le haut, en forme de calotte, remplaçait le crâne manquant. Cette face de squelette, toute noire sous sa couronne de saphirs et d'émeraudes, semblait rire, et était proprement terrifiante. On y distinguait, au-dessus de l'orbite gauche, un trou qui, selon la tradition, était la marque du coup de stylet porté par Hérodiade lorsqu'on lui avait présenté la tête du précurseur. Le tout reposait sur un plat d'or.

Clémence, apparemment insensible au froid de la chapelle, s'abîma en dévotions, et Louis X lui-même, touché par la ferveur, parvint à demeurer immobile durant toute la cérémonie, l'esprit évoluant en des régions qu'il n'avait pas coutume d'atteindre.

Les heureux résultats de ce pèlerinage ne tardèrent pas à se manifester. Vers la mi-mars, la reine présenta des symptômes qui lui permirent d'espérer que la bienfaisante intercession du saint avait exaucé ses prières.

Néanmoins, physiciens et sages-femmes n'osaient encore se prononcer, et demandaient un plein mois avant d'émettre une certitude.

Pendant cette attente, le mysticisme de la reine gagna son époux, lequel se mit à gouverner tout juste comme s'il aspirait à la canonisation.

Il est généralement mauvais de détourner les gens de leur nature. Mieux vaut laisser un méchant à sa méchanceté que de le transformer en mouton ; la bonté n'étant pas son affaire, il en usera de façon déplorable.

Le Hutin, imaginant qu'il obtiendrait de la sorte la rémission de ses propres péchés, graciait et amnistiait sans discernement, tout ému de vider les prisons ; si bien que le crime florissait à Paris où se commettaient plus de rapines, d'agressions et de meurtres qu'on n'en avait vu depuis quarante ans. Le guet était sur les dents. Parce qu'on avait repoussé les filles follieuses dans les limites exactes de leur quartier tel qu'assigné par saint Louis, la prostitution se développait dans les tavernes et surtout dans les étuves, à ce point qu'un honnête homme ne pouvait plus aller prendre son bain d'eau chaude sans être exposé à des tentations de chair qui s'offraient sans voile.

Clémence avait suggéré à Louis de restituer aux héritiers Marigny les biens de l'ancien recteur du royaume, au moins pour la part à elle-même attribuée.

« Ah ! cela, ma mie, je ne puis le faire, avait répondu le Hutin, et je ne saurais me déjuger à ce point ; le roi ne peut avoir tort. Mais je vous promets, dès que l'état du Trésor le permettra, de constituer à Louis de Marigny une pension qui le remboursera largement. »

Cependant les Lombards, dont on avait réduit les privilèges, maniaient moins aisément les clefs de leurs coffres lorsqu'il s'agissait des besoins de la cour. Et les anciens légistes de Philippe le Bel, Raoul de Presles en tête, formaient un groupe d'opposition autour du comte de Poitiers ; le connétable Gaucher de Châtillon s'était franchement déclaré de ce côté.

En Artois, la situation ne s'améliorait nullement. En dépit de démarches multipliées, la comtesse Mahaut demeurait irréductible et refusait de signer l'arbitrage. Elle se plaignait de ce que les barons aient machiné une opération pour in-

vestir son château d'Hesdin. La trahison de deux
sergents, qui devaient livrer la place aux alliés,
avait été découverte à temps ; et maintenant
deux squelettes pendaient, pour l'exemple, aux
créneaux d'Hesdin. Néanmoins la comtesse, obligée de se plier à l'interdiction, n'était pas retour-
née en Artois depuis la Noël, non plus qu'aucun
membre de la famille d'Hirson. Aussi la confusion était-elle grande dans tout le pays autour
d'Arras, chacun se réclamant du pouvoir qui lui
plaisait ; et les bonnes paroles n'avaient pas plus
d'effet sur les barons que du lait coulant sur leur
cuirasse.

« Point de sang, mon doux seigneur, point de
sang ! suppliait Clémence. Amenez par la prière
vos peuples à raison. »

Cela n'empêchait pas qu'on s'étripât ferme sur
les routes du Nord.

Peut-être le Hutin eût-il mis plus d'énergie à
résoudre l'affaire si, dans le même moment, environ le temps de Pâques, toute son attention
n'avait été requise par la situation de Paris.

Le pluvieux été de 1315, l'été de l'*ost boueux*,
s'était révélé doublement funeste, le roi ayant
enlisé son armée et le peuple vu les récoltes pourrir sur pied. Toutefois, instruits par l'expérience
de l'année précédente, les gens de campagne, si
démunis qu'ils fussent, n'avaient pas vendu le peu
de blé moissonné. La famine se déplaça donc des
provinces vers la capitale où le froment croissait
en prix à mesure que les habitants maigrissaient.

« Mon Dieu, mon Dieu, qu'on les nourrisse »,
disait la reine Clémence en voyant les hordes fa-
méliques qui se traînaient jusqu'à Vincennes pour
mendier pitance.

Il vint tant de pauvres qu'on dut faire défendre l'accès du château par la troupe. Clémence conseilla de grandes processions du clergé à travers les rues, et imposa à toute la cour, après Pâques, le même jeûne que pendant le carême. Mgr de Valois s'y plia complaisamment ; mais il trafiquait des céréales de son comté. Robert d'Artois, chaque fois qu'il lui fallait se rendre à Vincennes, avalait au préalable le repas de quatre hommes, en répétant l'une de ses maximes favorites : « Vivons bien, nous mourrons gras. » Après quoi, à la table de la reine, il pouvait faire figure de pénitent.

Au milieu de ce mauvais printemps, une comète passa dans le ciel de Paris, où elle resta visible trois nuits durant. Rien n'arrête l'imagination du malheur. Le peuple voulut reconnaître là l'annonce de grandes calamités, comme si celles qu'il subissait ne suffisaient pas. La panique s'empara de la foule et des émeutes éclatèrent en plusieurs points, sans qu'on sût au juste contre qui elles étaient dirigées.

Le chancelier engagea vivement le roi à rentrer en ville, ne fût-ce que pour quelques jours, afin de se montrer au milieu de la population. Ainsi, au moment où les bois commençaient à verdir autour de Vincennes, Clémence, qui retrouvait du charme à ce séjour, fut obligée de se transporter dans le grand palais de la Cité qui lui semblait si hostile et si froid.

Ce fut là qu'eut lieu la consultation des physiciens et des sages-femmes qui devaient se prononcer sur sa grossesse.

Le roi était fort agité le matin de cette réunion et, pour tromper son impatience, il avait orga-

nisé une partie de longue paume dans le jardin
du Palais, à quelques toises de l'île aux Juifs. Un
mur et un mince bras d'eau séparaient ce verger,
où Louis courait après une balle de cuir, de l'emplacement sur lequel, vingt-cinq mois plus tôt,
le grand-maître des Templiers se tordait parmi
les flammes...

Tout ruisselant de sueur, le Hutin s'enorgueillissait fort d'un point que ses gentilshommes lui
avaient laissé gagner, lorsque Mathieu de Trye
s'approcha d'un pas pressé. Louis interrompit la
partie et demanda :

« Alors, la reine est-elle grosse ?

— On ne sait pas encore, Sire ; les physiciens
sont à délibérer. Mais Mgr de Poitiers vous demande, s'il vous plaît, de le venir rejoindre d'urgence. Il est dans la petite salle de justice, avec
Mgr de Valois, Mgr de la Marche et divers autres.

— Je ne veux point qu'on m'importune ; je n'ai
point pour l'heure la tête aux affaires.

— La chose est grave, Sire, et Mgr de Poitiers
affirme que des paroles vont se dire qu'il vous
faut entendre de vos oreilles. »

Louis, à regret, laissa choir la balle de cuir,
s'essuya le visage, remit sa robe par-dessus sa
chemise et dit :

« Continuez sans moi, Messeigneurs ! »

Puis il rentra dans le Palais, en ajoutant à l'intention du chambellan :

« Aussitôt qu'on saura, pour la reine, venez me
prévenir. »

LE CARDINAL ENVOUTE LE ROI

L'HOMME n'était pas gardé par des sergents ou des archers, ainsi qu'un prévenu ordinaire, mais encadré par deux jeunes gentilshommes au service du comte de Poitiers. Il portait un froc trop court qui laissait voir un pied tordu.

Louis X lui porta à peine attention. Il salua de la tête ses frères, son oncle Valois, et messire Miles de Noyers, qui s'étaient levés à son entrée.

« De quoi s'agit-il ? demanda-t-il en prenant place au milieu d'eux et en faisant signe qu'on se rassît.

— D'une sombre et tortueuse affaire de sorcellerie, nous assure-t-on, répondit Charles de Valois avec une nuance d'ironie.

—.Ne pouvait-on charger le garde des Sceaux

de l'instruire lui-même, sans me déranger dans mes soucis?

— C'est tout juste ce que je faisais observer à votre frère Philippe », dit Valois.

Le comte de Poitiers croisa les doigts d'un geste tranquille.

« Mon frère, dit-il, la chose m'est apparue importante, non point tant pour le fait de sorcellerie, qui est assez commun, mais parce que cette sorcellerie semble s'être accomplie au sein même du conclave, et qu'elle nous ouvre la vue sur les sentiments que certains cardinaux nourrissent à notre endroit. »

Un an plus tôt, au seul mot de conclave, le Hutin eût montré une vive agitation. Mais depuis qu'en faisant supprimer sa première femme il avait pu convoler, l'élection du pape l'intéressait beaucoup moins.

« Cet homme se nomme Evrard, continua le comte de Poitiers.

— Evrard... répéta machinalement le roi.

— Il est clerc à Bar-sur-Aube ; mais il a appartenu naguère à l'ordre du Temple, où il avait rang de chevalier.

— Un Templier, ah oui !... fit le roi.

— Il est venu se livrer voici deux semaines à nos gens de Lyon, qui nous l'ont envoyé.

— Qui *vous* l'ont envoyé, Philippe », précisa Charles de Valois.

Poitiers feignit d'ignorer la pointe, et poursuivit :

« Evrard a dit qu'il avait des révélations à faire, et on lui promit qu'il ne souffrirait aucun mal, à condition qu'il avouât bien le vrai, promesse que nous lui certifions ici. D'après ses déclarations... »

Le roi avait les yeux fixés sur la porte, guettant l'apparition de son chambellan ; seules le préoccupaient pour l'heure ses chances de paternité. Le plus grand défaut de ce souverain était peut-être d'avoir l'esprit toujours requis par une autre question que celle en débat. Il était incapable de commander à son attention, ce qui constitue la pire inaptitude au pouvoir.

Il fut surpris du silence qui s'était établi et sortit de son rêve. Seulement alors il regarda le prévenu, remarqua son visage parcouru de tics, ses longues mâchoires maigres, ses yeux noirs un peu fous, sa bizarre pose déhanchée. Puis, revenant à Philippe de Poitiers :

« Eh bien, mon frère..., dit-il.

— Mon frère, je ne veux point troubler vos pensées. J'attends que vous ayez fini de songer. »

Le Hutin rougit un peu.

« Non, non, je vous écoute bien, continuez.

— D'après ses déclarations, Evrard serait venu à Valence pour y trouver la protection d'un cardinal au sujet d'un différend qu'il avait avec son évêque... Il faudra d'ailleurs tirer ce point au clair », ajouta Poitiers en se penchant vers Miles de Noyers, qui conduisait l'interrogatoire.

Evrard entendit, mais ne broncha pas, et Poitiers enchaîna :

« A Valence, Evrard aurait fait, par hasard prétend-il, connaissance du cardinal Francesco Caëtani...

— Le neveu du pape Boniface, dit Louis pour prouver qu'il suivait.

— C'est cela même... et il serait entré dans l'intimité de ce cardinal, fort versé en alchimie, puisqu'il a chez lui, toujours au dire d'Evrard, une pièce emplie de fourneaux, de cornues et de poudres diverses.

— Tous les cardinaux sont plus ou moins alchimistes ; c'est leur marotte, dit Charles de Valois en haussant les épaules. Mgr Duèze a même écrit un traité là-dessus...

— C'est exact, mon oncle ; mais la présente affaire ne ressort pas précisément de l'alchimie qui est science fort utile et respectable... Le cardinal Caëtani voulait trouver quelqu'un qui pût évoquer le diable et procéder à des envoûtements. »

Charles de la Marche, imitant l'attitude ironique de son oncle Valois, dit :

« Voilà un cardinal qui sent fort le fagot.

— Eh bien, qu'on le brûle, dit avec indifférence le Hutin qui de nouveau regardait la porte.

— Qui voulez-vous brûler, mon frère ? Le cardinal ?

— Ah ! c'est le cardinal ?... Alors, non, il ne faut pas. »

Philippe de Poitiers eut un soupir de lassitude avant de reprendre, en appuyant un peu sur les mots :

« Evrard répondit au cardinal qu'il connaissait un homme qui fabriquait de l'or au profit du comte de Bar... »

En entendant ce nom, Valois se leva, indigné, et s'écria :

« En vérité, mon neveu, on nous fait perdre notre temps ! Nous connaissons assez notre parent le comte de Bar pour savoir qu'il ne donne point dans de telles sottises, si même, dans l'heure présente, il n'est pas trop notre ami. Nous sommes devant une fausse dénonciation de diablerie, comme il s'en fait vingt chaque jour, et qui ne mérite pas d'y ouvrir les oreilles. »

Si calme qu'il s'imposât d'être, Philippe finit par perdre patience.

« Vous avez bien, mon oncle, ouvert vos oreilles aux dénonciations de sorcellerie quand elles atteignaient Marigny ; veuillez au moins accorder l'ouïe à celle-ci. D'abord, il ne s'agit pas du comte de Bar, ainsi que vous l'allez voir. Car Evrard n'alla pas chercher l'homme qu'il avait dit, mais présenta au cardinal un certain Jean du Pré, autre ancien Templier, qui se trouvait lui aussi à Valence, par hasard... C'est bien cela, Evrard ? »

L'interrogé approuva silencieusement, inclinant la tête si bas qu'il montra sa tonsure.

« Ne vous semble-t-il pas, mon oncle, reprit Poitiers, que voici bien des hasards ensemble, et beaucoup de Templiers du côté du conclave, à rôder autour du neveu de Boniface ?

— En effet, en effet... » murmura Valois.

Revenant à Evrard, Poitiers lui demanda brusquement :

« Connais-tu messire Jean de Longwy ? »

Evrard serra ses longs doigts plats sur la cordelière de son froc, et son visage osseux fut secoué d'un tic plus violent. Mais il répondit sans trouble :

« Non, Monseigneur, je ne le connais pas autrement que de nom. Je sais seulement qu'il est le neveu de feu notre grand-maître.

— Feu... l'expression est bonne ! fit remarquer Valois en sourdine.

— Tu es bien certain de n'avoir jamais eu rapport avec lui ? insista Poitiers. Ni d'avoir reçu, par d'anciens frères à toi, aucun avis de sa part ?

— J'ai ouï dire que messire de Longwy cherchait à garder lien avec d'aucuns d'entre nous ;
mais rien de plus.

— Et tu n'aurais pas appris, de ce Jean du Pré
par exemple, le nom du Templier qui vint à l'ost
de Flandre délivrer des messages au sire de
Longwy et emporter les siens ? »

Charles de Valois haussa les sourcils. Son neveu Philippe, décidément, en savait long sur bien
des choses ; mais pourquoi gardait-il toujours ses
renseignements pour lui ?

Evrard s'était mis à trembler. Philippe de Poitiers ne le quittait pas des yeux. L'homme correspondait bien à la description qu'on lui en avait
faite.

« As-tu été tourmenté autrefois ?

— Ma jambe, Monseigneur, ma jambe répond
pour moi ! » s'écria Evrard.

Le Hutin pensait : « C'est trop de temps que
prennent ces physiciens. Clémence n'est pas grosse, et nul n'ose venir m'en avertir. » Il fut rap-
pelé à la réalité immédiate par Evrard qui s'était
jeté à ses genoux et suppliait :

« Sire ! Sire ! de grâce, ne me faites point tourmenter à nouveau ! Je jure Dieu que je veux
confesser le vrai.

— Il ne faut point jurer ; c'est péché », dit le
roi.

Les deux bacheliers obligèrent Evrard à se relever.

« Il conviendrait d'éclaircir aussi ce point de
l'ost, dit Poitiers. Continuons l'interrogation. »

Miles de Noyers demanda :

« Alors, Evrard, que vous a déclaré le cardinal ? »

L'ancien Templier, mal revenu de sa panique, répondit d'une voix précipitée :

« Le cardinal nous a déclaré, à Jean du Pré et à moi, qu'il voulait venger la mémoire de son oncle et devenir pape ; et que pour cela il lui fallait détruire les ennemis qui lui faisaient obstacle ; et il nous promit trois cents livres si nous pouvions l'y aider. Et les deux premiers ennemis qu'il nous désigna... »

Evrard hésita, leva les yeux vers le roi, les baissa.

« Allons, poursuivez, fit Miles.

— Il nous désigna le roi de France et le comte de Poitiers, en nous disant qu'il serait bien aise de les voir passer les pieds outre. »

Le Hutin, machinalement, contempla ses propres souliers quelques secondes ; puis sursautant, il s'écria :

« Les pieds outre ? Mais c'est tout juste ma mort que complote ce méchant cardinal !

— Tout juste, mon frère, dit Poitiers en souriant, et la mienne aussi.

— Et vous, le boiteux, ne saviez-vous pas que pour un tel forfait vous seriez brûlé dans ce monde et damné dans l'autre ? continua le Hutin.

— Sire, le cardinal Caëtani nous avait assuré que lorsqu'il serait pape il nous ferait absoudre de tout. »

Le buste penché, les mains aux genoux, Louis dévisageait avec stupeur l'ancien Templier. En même temps les avertissements de maître Martin lui revenaient à l'esprit.

« Me déteste-t-on si fort que l'on désire me tuer ? dit-il. Et de quelle façon le cardinal voulait-il m'expédier les pieds outre ?

— Il nous dit que vous étiez trop bien gardé, Sire, pour qu'on pût vous atteindre par le fer ou par le poison, et qu'il fallait procéder par envoûtement. A cette fin, il nous fit bailler une livre de cire vierge, que nous mîmes à mollir en un bassin d'eau chaude, dans la chambre aux fourneaux. Puis frère Jean du Pré fabriqua bien habilement une image d'homme, avec une couronne dessus... »

Louis X fit un rapide signe de croix.

« ... et ensuite une autre plus petite, avec une plus petite couronne. Pendant notre travail, le cardinal vint nous visiter ; il sembla tout joyeux, et il se prit même à rire en regardant la première image et il nous dit : « Il a moult grand membre ».

— Et après ? demanda le Hutin, nerveusement. Qu'avez-vous fait de ces images ?

— Nous y avons mis les papiers.

— Quels papiers ?

— Les papiers qu'il faut placer dans l'image avec le nom de celui qu'elle figure, et les mots de la conjuration. Mais je vous jure, Sire, s'écria Evrard, que nous n'avons pas écrit votre nom, ni celui de Mgr de Poitiers ! Au dernier moment, nous avons pris peur, et nous avons inscrit les noms de Jacques et Pierre de la Colonne...

— Les deux cardinaux Colonna, précisa Philippe de Poitiers.

— ... parce que le cardinal nous les avait cités aussi comme ses ennemis. Je jure, je jure que c'est ainsi ! »

Louis X se tourna vers son cadet comme s'il cherchait avis et appui.

« Croyez-vous, Philippe, que cet homme dise

là le vrai ? Il faut le faire bien travailler par les
tourmenteurs. »

Au mot de « tourmenteur », Evrard tomba une
seconde fois à genoux, et se traîna vers le roi, les
mains jointes, en rappelant qu'on lui avait promis
de ne pas le torturer s'il faisait des aveux com-
plets. Un peu d'écume blanche lui moussait au
coin des lèvres, et la peur lui donnait un regard
de dément.

« Arrêtez-le ! Empêchez qu'il ne me touche !
cria Louis X. Cet homme est possédé. »

Et l'on n'aurait pu dire lequel, du roi ou de l'en-
voûteur, était le plus effrayé par l'autre.

« Les tourments ne servent de rien, hurlait l'ancien Templier. C'est à cause des tourments que
j'ai renié Dieu. »

Miles de Noyers prit note de cet aveu spontané.

« A présent, c'est le repentir qui me conduit,
continua Evrard, toujours à genoux. Je vais tout
confesser... Nous n'avions pas de chrême pour
baptiser les images. Nous en avertîmes le cardinal
qui se trouvait en consistoire dans la grande église, et qui nous fit répondre tout bas par son secrétaire Andrieu de nous adresser au prêtre Pierre
en l'église derrière la boucherie, en feignant que
ce chrême fût destiné à un malade. »

Il n'était plus besoin de poser de questions.
Evrard, de lui-même, fournissait des détails, livrait les noms des gens au service du cardinal.

« Puis nous prîmes les deux images et deux
chandelles bénites, et encore un pot d'eau bénite
en cachant le tout sous nos frocs, et le frère Bost
nous conduisit chez l'orfèvre du cardinal, nommé
Baudon, qui avait fort avenante jeune femme. Il
fut le parrain et sa femme la marraine. Nous avons

baptisé les images dans un plat à barbier. Après quoi, nous les avons rapportées au cardinal, qui nous en fit grand merci, et y planta lui-même de longues épingles à l'emplacement du cœur et des parties vitales. »

La porte s'entrouvrit et Mathieu de Trye montra la tête. Mais le roi, de la main, lui fit signe de se retirer.

« Ensuite ? demanda Miles de Noyers.

— Ensuite le cardinal nous demanda de procéder à d'autres envoûtements, répondit Evrard. Mais alors je m'inquiétai parce que trop de gens commençaient d'être dans le secret, et je suis parti pour Lyon, où je me suis remis aux gens du roi, qui m'ont envoyé ici.

— Avez-vous touché les trois cents livres ?

— Oui, messire.

— Peste ! dit Charles de la Marche. Que peut un clerc avoir besoin de trois cents livres ? »

Evrard baissa le front.

« Les filles, Monseigneur, répondit-il assez bas.

— Ou bien le Temple... », prononça, comme pour lui-même, le comte de Poitiers.

Le roi ne disait rien, abîmé en de secrètes angoisses.

« Au Petit-Châtelet ! » dit Poitiers à ses deux bacheliers en désignant Evrard.

Celui-ci se laissa emmener sans réagir. Il paraissait brusquement à bout de forces.

« Ces anciens Templiers semblent former un beau vivier de sorciers, reprit Poitiers.

— Notre père aurait dû ne point brûler le grand-maître, murmura Louis X.

— Ah ! l'avais-je assez dit ! s'écria Valois. J'ai tout fait pour m'opposer à cette sentence funeste.

— Certes, mon oncle, vous l'aviez dit, répliqua Poitiers. Mais ce n'est plus de cela qu'il s'agit. Il saute au regard que les rescapés du Temple restent associés, et qu'ils sont prêts à tout pour le service de nos ennemis. Cet Evrard n'a pas avoué la moitié de ce qu'il sait. Son conte était préparé, vous pensez bien ; mais tout n'en peut être inventé. Il en ressort que ce conclave qui se traîne de ville en ville depuis deux ans déshonore la chrétienté autant qu'il nuit au royaume, et que des cardinaux s'y conduisent, par âpreté de la tiare, tout juste de manière à mériter l'excommunication.

— Ne serait-ce pas le cardinal Duèze, dit Miles de Noyers, qui nous aurait expédié cet homme afin de nuire à Caëtani ?

— La chose n'est pas impossible, dit Poitiers. Cet Evrard doit se nourrir à toutes les mangeoires, pourvu que le fourrage y soit un peu pourri. »

Il fut interrompu par Mgr de Valois dont le visage avait pris un grand air de sérieux et de réflexion.

« Ne serait-il pas souhaitable, Philippe, que vous fissiez un tour vous-même du côté du conclave, dont vous montrez que vous connaissez si bien les affaires ? Vous seul, à mon jugement, êtes apte à débrouiller cet écheveau d'intrigues, faire la lumière sur ces manœuvres criminelles, et aussi hâter une nécessaire élection. »

Philippe eut un léger sourire. « Notre oncle se croit bien habile, en ce moment, pensa-t-il. Il a découvert enfin le moyen de m'écarter de Paris, et de m'envoyer dans un bon guêpier... »

« Ah ! le sage conseil que vous nous portez là, mon oncle ! s'écria Louis X. Certes, il faut que Philippe nous rende ce service. Mon frère, je vous saurais bien gré d'accepter... et de vous enquerir par vous-même de ces images baptisées qui nous représentaient. Ah oui ! il le faut au plus tôt ; vous y êtes aussi intéressé que moi. Savez-vous par quel moyen de religion on peut se défendre des envoûtements ? Tout de même, Dieu est plus fort que le Diable... »

Il ne donnait pas l'impression d'en être absolument sûr.

Le comte de Poitiers réfléchissait. La proposition, d'une certaine façon, le tentait. Quitter pour quelques semaines la cour, où il était impuissant à empêcher les erreurs, et où il se trouvait constamment en opposition avec Valois et Mornay... Aller accomplir enfin une œuvre utile. Emmener avec lui ses amis et soutiens fidèles, le connétable Gaucher, le légiste Raoul de Presles, Miles de Noyers... un homme de guerre, un homme de loi et un homme de guerre et de loi, puisque Miles était conseiller au Parlement après avoir été maréchal de l'ost. Et puis, qui sait ? Celui qui fait un pape se trouve en bonne position pour recevoir une couronne. Le trône de l'empire d'Allemagne, auquel son père avait déjà songé pour lui, et qu'il était en droit de briguer comme comte palatin, pouvait un jour redevenir libre...

« Eh bien ! soit, mon frère, j'accepte, pour vous servir.

— Ah ! le bon frère que voilà ! » s'écria Louis X.

Il se leva pour embrasser le comte de Poitiers, et s'arrêta dans son geste en poussant un hurlement.

« Ma jambe ! ma jambe ! la voilà toute froide et parcourue de frémissements ; je ne sens plus le sol en dessous. »

On eût cru, parce qu'il le croyait, que le démon, déjà, le tenait par le mollet.

« Eh quoi, mon frère, dit Philippe, vous avez des fourmis dans le pied, voilà tout. Frottez-vous un peu.

— Ah !... vous pensez ?... »

Et le Hutin sortit en boitillant, comme Evrard.

En rentrant dans ses appartements, il apprit que les physiciens s'étaient prononcés affirmativement, et qu'il serait père, avec l'aide de Dieu, vers le mois de novembre. Ses familiers s'étonnèrent de ne pas le voir, sur l'instant, témoigner pleinement sa joie.

VII

« JE PLACE L'ARTOIS SOUS MA MAIN ! »

Le lendemain, Philippe de Poitiers fit visite à sa belle-mère afin de lui annoncer son proche départ. Mahaut d'Artois résidait alors en son château neuf de Conflans, ainsi nommé parce que situé exactement au confluent de la Seine et de la Marne, à Charenton ; les aménagements et la décoration n'en étaient pas terminés.

Béatrice d'Hirson assistait à l'entretien. Lorsque le comte de Poitiers raconta l'interrogatoire du Templier, la même pensée vint aux deux femmes ; elles échangèrent un bref regard. Le personnage employé par le cardinal Caëtani offrait de bien frappantes similitudes avec le faux fabricant de cierges qui les avait aidées, deux ans plus tôt, à empoisonner Guillaume de Nogaret.

« Il serait bien étonnant qu'il y eût deux an-

ciens Templiers du même nom, et tous deux ver-
sés en sorcellerie. La mort de Nogaret lui était
une bonne introduction auprès du neveu de Boniface. Il est allé se faire payer de ce côté-là ! Oh !
méchante affaire... », se disait Mahaut.

« Comment s'est-il présenté, cet Evrard... pour
la figure ? demanda-t-elle à Philippe.

— Maigre, noir, l'air un peu fou, et un pied
boiteux. »

Mahaut observait Béatrice ; celle-ci fit un signe affirmatif, avec les paupières. La comtesse
d'Artois sentit le malheur la saisir aux épaules.
On allait certainement questionner davantage
Evrard, avec de bons instruments à explorer la
mémoire. Et si jamais il parlait... Non qu'on re-
grettât beaucoup Nogaret dans l'entourage de
Louis X ; mais on serait trop content de se servir
de ce meurtre pour lui intenter procès, à elle.
Quel parti Robert en saurait tirer ! Or il y avait
tout à craindre qu'Evrard parlât, si même ce
n'était déjà fait... Mahaut échafaudait des plans.
« Faire occire un prisonnier dans le fond d'une
prison royale n'est pas chose aisée... Qui va m'aider là-dedans, s'il est encore temps ? Philippe,
il n'y a que Philippe ; il faut que je lui avoue.
Mais comment va-t-il prendre cela ? Qu'il refuse
de me soutenir, et c'est ma fin... »

« L'a-t-on tourmenté ? » demanda-t-elle.

Béatrice, elle aussi, avait la gorge sèche.

« On n'a pas eu le temps... répondit Poitiers
qui s'était baissé pour remettre en place sa boucle de soulier ; mais... »

« Dieu soit loué, pensa Mahaut, rien n'est perdu. Allons, jetons-nous à l'eau ! »

« Mon fils... dit-elle.

« — ... mais c'est grand dommage, continua Poitiers toujours penché, car maintenant nous ne
saurons rien de plus. Evrard s'est pendu cette
nuit dans sa geôle du Petit-Châtelet. La peur, sans
doute, d'être de nouveau mis à la gêne. »

Il entendit deux profonds soupirs ; il se releva,
un peu surpris que les deux femmes marquas-
sent tant de compassion pour le sort d'un inconnu, et de si basse espèce.

« Vous alliez me dire quelque chose, ma mère,
et je vous ai interrompue... »

Mahaut instinctivement touchait, à travers sa
robe, la relique qu'elle portait sur la poitrine.

« Je voulais vous dire... Que voulais-je vous
dire, au fait ?... Ah ! oui. Je voulais vous parler
de ma fille Jeanne. Voyons... l'emmenez-vous en
votre voyage ? »

Elle avait retrouvé ses esprits, et son ton naturel. Mais, Seigneur, quelle alerte !

« Non, ma mère, son état me paraît l'interdire,
répondit Philippe, et moi aussi je souhaite vous
entretenir d'elle. Elle est à trois mois d'accou-
cher, et il serait imprudent de l'aventurer sur
de mauvaises routes. J'aurai fort à me dépla-
cer... »

Béatrice d'Hirson, pendant ce temps, voguait
dans le monde des souvenirs. Elle revoyait l'ar-
rière-boutique de la rue des Bourdonnais ; elle
respirait le parfum de cire, de suif et de chandelle ; elle se rappelait le contact des dures mains
d'Evrard sur sa peau, et cette impression étrange
qu'elle avait eue de s'unir au diable. Et voilà que
le diable s'était pendu...

« Pourquoi souriez-vous, Béatrice ? lui demanda
le comte de Poitiers.

— Pour rien, Monseigneur... sinon parce que j'ai toujours plaisance à vous voir et à vous écouter.

— En mon absence, ma mère, reprit Philippe, j'aimerais que Jeanne vécût ici, auprès de vous. Vous pourrez l'entourer des soins qu'il faut, et serez mieux à même de la protéger. Pour tout dire, je me méfie assez des entreprises de notre cousin Robert qui, lorsqu'il ne peut venir à bout des hommes, s'attaque aux femmes.

— Ce qui signifie, mon fils, que vous me rangez parmi les hommes. Si c'est un compliment, il ne me déplaît point.

— En vérité, c'est un compliment, dit Philippe.

— Serez-vous toutefois de retour pour la délivrance de Jeanne ?

— Je le souhaite fort, mais ne puis vous l'assurer. Ce conclave est si finement embrouillé que je n'en pourrai dénouer les fils sans patience.

— Ah ! il m'inquiète que vous soyez éloigné pour un si long temps, Philippe, car mes ennemis vont sûrement en faire leur profit quant à l'Artois.

— Eh bien ! prétextez de mon absence pour ne céder rien ; ce sera le plus sage », dit Philippe en prenant congé.

Quelques jours plus tard, le comte de Poitiers partit pour le Midi, et Jeanne vint s'installer à Conflans.

Ainsi que Mahaut l'avait prévu, la situation en Artois empira presque aussitôt. Le printemps incitait les alliés à sortir de leurs châteaux. Sachant la comtesse isolée et tenue en quasi-disgrâce, ils avaient décidé d'administrer directe-

ment la province et le faisaient très mal. Mais
l'état d'anarchie leur plaisait assez, et il était à
redouter que leur exemple ne fût suivi dans les
comtés voisins.

Louis X, qui avait regagné le séjour de Vincennes, résolut d'en finir une bonne fois. Il y
était encouragé par son trésorier, car les impôts
d'Artois ne rentraient plus du tout. Mahaut avait
beau jeu de dire qu'on l'avait mise dans l'incapacité de percevoir les tailles ; et les barons op-
posaient la même réponse. C'était le seul point
sur lequel les adversaires fussent d'accord.

« Je ne veux plus de grands Conseils, ni de
tractations par envoyés parlementaires, où chacun ment à chacun et où rien n'avance, avait
déclaré Louis X. Cette fois, je vais procéder par
entretien direct, et amener la comtesse Mahaut
à me céder. »

Le Hutin, durant ces semaines-là, donnait les
signes de la meilleure santé. Il n'éprouva que fort
peu les malaises, flux de toux et maux de ventre
auxquels il était sujet ; les jeûnes pieux imposés
par Clémence lui avaient certainement été salu-
taires. Il en conclut que l'envoûtement pratiqué
contre lui était resté inopérant. Néanmoins, par
précaution, il communiait plusieurs fois la semaine.

Egalement, il entourait la grossesse de la reine
non seulement des sages-femmes les plus répu-
tées du royaume, mais aussi des saints les plus
compétents du paradis : saint Léon, saint Nor-
bert, sainte Colette, sainte Julienne, saint Druon,
Sainte Marguerite et sainte Félicité, cette dernière parce qu'elle n'eut que des enfants mâles.
Chaque jour arrivaient de nouvelles reliques ;

tibias et prémolaires s'accumulaient dans la chapelle royale.

La perspective d'une progéniture dont il était
certain qu'elle fût sienne avait parachevé la trans-
formation du roi et fait de lui un homme moyen,
presque normal.

Il était apparemment calme, courtois, détendu,
le jour où il convoqua la comtesse Mahaut. De
Charenton à Vincennes, la distance était courte.
Pour conférer à l'entretien un caractère d'intimité familiale, Louis reçut Mahaut dans l'appartement de Clémence. Celle-ci brodait. Louis parla
d'un ton conciliant.

« Scellez pour la forme l'arbitrage que j'ai
rendu, ma cousine, puisqu'il semble que nous ne
puissions obtenir la paix qu'à ce prix. Et puis
nous verrons ! Ces coutumes de saint Louis, après
tout, ne sont pas si bien définies, et vous aurez
toujours moyen de reprendre d'une main ce que
vous aurez feint de donner de l'autre. Imitez ce
que j'ai fait moi-même avec les Champenois,
quand le comte de Champagne et le sire de
Saint-Phalle sont venus me réclamer leur charte.
J'ai fait ajouter : « *fors les cas qui d'ancienne
coutume appartiennent au souverain prince et à
nul autre.* » Aussi, maintenant, quand un cas ap-
paraît comme litigieux, il relève toujours de la
souveraineté royale. »

En même temps, il poussait vers la comtesse,
d'un geste amical la coupe où, tout en parlant,
il puisait des dragées.

Mahaut s'abstint de rappeler que l'ingénieuse
formule dont Louis à présent s'enorgueillissait
était due à Enguerrand de Marigny.

Voyez-vous, Sire mon cousin, le fait ne se

présente pas de même pour moi, répondit-elle, car je ne suis point souverain prince.

— Qu'importe, puisque j'exerce la souveraineté au-dessus de vous ! S'il y a différend, il sera porté devant moi, et je le trancherai en votre faveur. »

Mahaut prit une poignée de dragées dans la coupe.

« Fort bonnes, fort bonnes... dit-elle la bouche pleine, s'efforçant de gagner du temps. Je ne suis pas bien gourmande de sucreries, mais je dois dire qu'elles sont fort bonnes.

— Ma bien-aimée Clémence sait que j'aime en grignoter à toute heure, et elle veille à ce que sa chambre en soit pourvue », dit Louis en se tournant vers la reine de l'air d'un époux qui veut marquer qu'il est comblé.

Clémence leva les yeux de dessus son métier à broder, et rendit à Louis son sourire.

« Alors, ma cousine, reprit-il, vous allez sceller ? »

Mahaut acheva de broyer une amande enrobée de sucre.

« Eh bien ! non, Sire mon cousin, je ne puis sceller. Car aujourd'hui nous avons en vous un fort bon roi, et je ne doute pas que vous agissiez selon les sentiments que vous me dites. Mais vous ne durerez pas toujours, et moi moins longtemps encore. Il peut venir après vous... le plus tard possible, Dieu le veuille !... des rois qui ne jugeront pas avec la même équité. Je suis forcée de penser à mes héritiers et ne puis les mettre à discrétion du pouvoir royal pour plus que nous ne lui devons. »

Si nuancée qu'en fût la forme, le refus n'était pas moins catégorique. Louis, qui avait affirmé qu'il viendrait à bout de la comtesse par sa diplomatie personnelle bien mieux que par grandes audiences publiques, perdit rapidement patience ; sa vanité était en jeu. Il commença d'arpenter la chambre, éleva le ton, frappa sur un meuble ; mais, rencontrant le regard de Clémence, il s'arrêta, rougit, et s'efforça de reprendre un maintien royal.

Au jeu des arguments, Mahaut était plus forte que lui.

« Mettez-vous à ma place, mon cousin, disait-elle. Vous allez avoir un héritier ; supporteriez-vous de lui transmettre un pouvoir diminué ?

— Eh bien ! justement, Madame, je ne lui laisserai pas un pouvoir diminué, ni le souvenir qu'il eut un père faible. A la parfin, c'est trop me tenir tête ! Et puisque vous vous obstinez à m'affronter, je place l'Artois sous ma main ! C'est dit. Et vous pouvez retrousser vos manches de robe, vous ne me faites point peur. Désormais, votre comté sera gouverné en mon nom, par un de mes seigneurs que je vais y nommer. Quant à vous, vous n'aurez plus droit de vous écarter que de deux lieues des séjours que je vous ai assignés. Et ne vous présentez plus devant moi, car je n'aurai point plaisir à vous voir. »

Le coup était de taille et Mahaut ne s'y attendait pas. Décidément, le Hutin avait bien changé.

Les malheurs surviennent en série. Si brusquement congédiée, Mahaut, sortant de l'appartement de la reine, tenait encore une dragée. Elle la mit machinalement en bouche et y mordit avec tant de violence qu'elle se fendit une dent.

Pendant une semaine, Mahaut fut à Conflans comme un tigre en cage. De son grand pas masculin, elle allait des appartements d'habitation, qui dominaient la Seine, à la cour principale, entourée de galeries d'où, par-dessus les frondaisons du bois de Vincennes, on pouvait apercevoir les étendards du manoir royal. Sa rage ne connut plus de bornes lorsque, le 15 mai, Louis X, mettant à exécution ses projets, nomma gouverneur de l'Artois le maréchal de Champagne, Hugues de Conflans. Mahaut vit, dans le choix de ce gouverneur, une volonté de dérision et comme un suprême outrage.

« Conflans ! Conflans ! répétait-elle, on m'enferme à Conflans, et l'on nomme Conflans pour me voler mon bien. »

En même temps, sa dent cassée la faisait cruellement souffrir ; un abcès s'était formé. Sans cesse, Mahaut tordait la langue, ne pouvant se retenir d'aviver le mal.

Elle déchargeait sa colère sur son entourage ; elle avait giflé, pendant un office, maître Renier, chantre de sa chapelle, pour une défaillance de voix. Jeannot le Follet, son nain, se cachait dans les encoignures du plus loin qu'il l'apercevait. Elle s'emportait contre Thierry d'Hirson qu'elle accusait, lui et son abusive famille, d'être la cause de tous les ennuis ; elle reprochait même à sa fille Jeanne de n'avoir pas su retenir son mari de courir au conclave.

« Que nous importe un pape, criait-elle, lorsqu'on est en train de nous dépouiller ! Ce n'est pas le pape qui nous rendra l'Artois. »

Un matin elle apostropha Béatrice.

« Et toi, tu ne peux rien faire, non ? N'es-tu donc bonne qu'à me prendre mon argent, t'affubler de robes et tourner de la croupe devant le premier chien coiffé ? As-tu décidé de ne m'être d'aucune ressource ?

— Comment, Madame... les clous de girofle que je vous ai portés ne vous ont-ils point apaisé la douleur ?

— Il s'agit bien de ma dent ! J'en ai une plus grosse à arracher, et tu en sais le nom. Ah ! quand il est question de philtres d'amour, tu t'agites, tu te donnes de la peine, tu découvres des magiciennes ! Mais s'il me faut un vrai service...

— Vous oubliez, Madame... Vous oubliez bien vite comment j'ai fait enfumer messire de Nogaret... et ce que j'ai risqué pour vous.

— Je n'oublie pas, je n'oublie pas. Mais Nogaret aujourd'hui me semble petit gibier... »

Si Mahaut ne reculait guère devant l'idée du crime, il lui déplaisait d'avoir à l'exprimer précisément. Béatrice, qui la connaissait bien, mettait quelque perfidie à l'y obliger. La regardant à travers ses longs cils noirs, la demoiselle de parage, de sa voix lente, vaguement ironique, et qui traînait sur la fin des mots, répondit :

« Vraiment, Madame ?... Est-ce si haute mort que vous souhaitez ?

— Et à quoi crois-tu donc que je pense depuis une semaine, double sotte ? Que veux-tu qu'il me reste à faire, sinon que de prier Dieu, de l'aube au soir et du soir au matin, pour que Louis se rompe le col en tombant de cheval ou qu'il s'étouffe la gorge avec une noix sèche ?

— Il est peut-être de plus rapides moyens, Madame...

— Va donc me les trouver, tu seras bien habile ! Oh ! de toute manière, ce roi n'est pas destiné à faire de vieux os ; il n'est que de l'entendre tousser pour s'en convaincre. Mais c'est maintenant qu'il me conviendrait qu'il crevât... Je ne serai en paix que lorsque je l'aurai conduit à Saint-Denis.

— Car ainsi, Mgr de Poitiers deviendrait peut-être régent du royaume... et il vous rendrait l'Artois...

— Et voilà ! Ma petite Béatrice, tu me comprends à merveille ; mais tu comprends aussi que ce n'est point une entreprise aisée. Ah ! celui qui me fournirait une bonne recette de délivrance, je ne lui marchanderais pas l'or, je te l'assure.

— La dame de Fériennes connaît de ces recettes...

— Par magie, cire fondue et formules de conjuration ? Louis a été envoûté déjà, à ce qu'il paraît, et regarde-le ! Il ne s'est jamais mieux porté que ce printemps. A croire qu'il a partie liée avec le diable.

— S'il a partie liée avec le diable, il n'y a peut-être pas grand péché à l'envoyer en enfer... par nourriture convenablement préparée.

— Et comment t'y prendras-tu ? Tu vas aller lui dire : « Voici une belle tarte aux groseilles « que votre cousine Mahaut, qui vous aime tant, « vous envoie. » Et il va y mordre les yeux fermés... Sache que depuis cet hiver, par quelque soudaine peur qu'il a prise, il fait goûter trois fois les mets qui lui sont servis, et que deux écuyers en armes accompagnent son plat depuis le four jusqu'à la table. Ah ! c'est qu'il est craintif autant que méchant. »

Béatrice regardait en l'air, et se caressait le cou, du bout des doigts.

« Il communie souvent, m'a-t-on dit... et l'hostie s'avale de confiance...

— C'est chose qui vient trop facilement à l'esprit pour qu'on ne s'en défie pas. Le chapelain lui-même est surveillé ; Mathieu de Trye garde constamment sur lui la clef du tabernacle, dans son aumônière. Est-ce là que tu l'iras prendre ?

— Bah ! on ne sait, dit Béatrice en souriant. L'aumônière se porte sous la ceinture... Mais c'est quand même un moyen hasardeux.

— Si nous frappons, mon enfant, ce doit être à coup sûr, et sans que nul puisse jamais savoir d'où il vient... »

Elles demeurèrent un moment silencieuses.

« Vous vous êtes plainte, l'autre jour, dit Béatrice, de ce que les cerfs infestaient vos bois, et mangeaient vos jeunes arbres... Je ne verrais point de mal à demander à la Fériennes quelque bon poison où tremper des flèches, pour tirer les cerfs... Le roi est assez friand de venaison.

— Bien sûr, et toute la cour en crèvera ! Oh ! pour ma part, je ne risque rien, je ne suis plus conviée. Mais je te le répète, tous les plats sont essayés sur des valets avant d'être présentés, et de plus ils sont touchés à la licorne [15]. On découvrirait vite de quelle forêt provient le cerf... Enfin... avoir le poison est une chose, le placer en est une autre. Fais-le préparer dès à présent ; et qu'il soit d'action brève et ne laisse point de trace... Béatrice, ce manteau de marbré, que j'avais mis pour voyager, en allant au sacre, il te plaisait fort, je crois ? Eh bien ! il est à toi.

— Oh ! Madame, Madame... Quelle bonne âme vous avez... »

Et Béatrice embrassa Mahaut.

« Aïe ! ma dent ! s'écria la comtesse en portant la main à la joue. Et dire que je l'ai brisée sur une dragée que Louis m'a offerte... »

Elle s'arrêta net, et son œil gris se mit à luire sous le sourcil.

« Les dragées... murmura-t-elle. Eh bien, c'est cela, Béatrice ; procure-toi ce poison, en disant bien qu'il est destiné à mes cerfs. Je pense qu'il nous sera utile. »

VIII

EN L'ABSENCE DU ROI

Le roi se trouvait à la chasse au faucon, un des derniers jours de mai, lorsqu'on vint annoncer à la reine Clémence la comtesse de Poitiers. Les deux belles-sœurs se voyaient assez souvent, et Jeanne ne manquait jamais de témoigner à Clémence la reconnaissance qu'elle lui devait pour avoir obtenu sa grâce. Clémence, de son côté, se sentait liée à la comtesse de Poitiers par cette tendresse que l'on ressent si volontiers envers les gens auxquels on a fait du bien.

Si la reine avait éprouvé un peu de jalousie, ou plus exactement le sentiment d'une injustice du destin, lorsqu'elle avait appris que Jeanne était enceinte, ce mouvement d'âme s'était vite dissipé quand elle-même s'était trouvée dans un semblable état. Mieux encore, leur grossesse paraissait avoir rapproché les deux belles-sœurs.

Elles s'entretenaient longuement de leur santé, du régime qu'elles observaient, des soins à prendre, et Jeanne qui, avant sa réclusion, avait donné le jour à trois filles, faisait profiter Clémence de son expérience.

On admirait l'élégance avec laquelle, à sept mois passés, Madame de Poitiers portait son fardeau. Elle entra chez la reine la tête haute, le pied sûr, le visage frais, harmonieuse en son allure comme elle l'était toujours ; sa robe s'épanouissait autour d'elle.

La reine se leva pour l'accueillir, mais le sourire qu'elle avait aux lèvres s'effaça lorsqu'elle s'aperçut que Jeanne de Poitiers n'était pas seule ; à sa suite marchait la comtesse d'Artois.

« Madame ma sœur, dit Jeanne, je voulais vous demander de montrer à ma mère ces tapis de beau tissu dont vous avez tendu et partagé nouvellement votre chambre.

— En effet, dit Mahaut, ma fille me les a tant vantés que j'ai conçu l'envie de les admirer à mon tour. Vous savez que je suis assez connaisseuse en ce genre d'ouvrage. »

Clémence était perplexe. Il lui déplaisait d'enfreindre les décisions de son époux qui avait défendu à Mahaut d'Artois de reparaître à la cour ; mais d'autre part il lui semblait peu habile de renvoyer la redoutable comtesse, maintenant qu'elle était arrivée jusque-là, en se faisant un bouclier du ventre de sa fille. « Sa visite doit avoir quelque sérieux motif, pensa Clémence. Peut-être est-elle venue à composition et cherche-t-elle moyen de rentrer en grâce sans trop de peine pour son orgueil. Voir mes tapis n'est sûrement qu'une occasion. »

Elle feignit donc de croire au prétexte et conduisit les deux visiteuses dans sa chambre dont
l'aménagement venait d'être transformé.

Les tapisseries servaient non seulement à dé-
corer les murs, mais étaient également pendues
depuis le plafond de manière à cloisonner la vaste
pièce en petites chambres plus intimes, plus ai-
sées à chauffer, et qui permettaient mieux aux
souverains de s'isoler de leur entourage. C'était
un peu comme si des princes nomades avaient
dressé leurs tentes à l'intérieur de l'édifice.

La suite de tapisseries que possédait Clémence
représentait des scènes de chasse en des paysa-
ges exotiques où une quantité de lions, tigres et
autres animaux sauvages bondissaient, couraient
sous des orangers, et où des oiseaux aux pluma-
ges étranges s'ébattaient parmi les fleurs. Les
chasseurs et leurs armes n'apparaissaient que
dans le fond des tableaux, à demi cachés par
le feuillage, comme si l'artiste avait eu honte
de montrer l'homme en ses instincts de car-
nage.

« Ah ! les belles choses, s'écria Mahaut, et
comme on a plaisir à voir drap de haute lisse
si bien ouvré. »

Elle s'approcha, palpa le tissu, le caressa.

« Regardez, Jeanne, reprit-elle, comme le grain
est uni et moelleux, et voyez le joli contraste entre ce fond ramagé, ces fleurettes piquées d'in-
digo, et le beau rouge de kermès dont sont faites
les plumes de ces papegais. C'est grand art,
vraiment, dans le maniement des laines ! »

Clémence l'observait avec un peu d'étonnement.
Les yeux gris de la comtesse Mahaut brillaient
de joie ; sa main se faisait douce. La tête un peu

penchée, elle s'attardait à contempler la délica-
tesse des contours, l'opposition des teintes. Cette
étrange femme, solide comme un guerrier, rusée
comme un chanoine, indomptable en ses appétits
comme en ses haines, s'abandonnait, soudain
désarmée, à l'enchantement d'un tapis de haute
lisse. Et, de fait, elle était certainement, à travers
tout le royaume, le meilleur expert qu'on pût
trouver [16].

« C'est bon choix que celui-là, ma cousine, reprit-elle, et je vous en complimente. Cette étoffe
donnerait à la plus laide muraille un air de fête.
C'est la manière d'Arras, et pourtant les laines
chantent avec plus d'ardeur sur la trame. Les
gens sont bien habiles qui vous ont ouvré cela.

— Ce sont des haute-lissiers qui travaillent
dans mon pays, expliqua Clémence ; mais je dois
vous confesser qu'ils viennent du vôtre, les maîtres d'œuvre tout au moins. Ma grand-mère, qui
m'a fait envoyer ces tapis à images pour remplacer mes cadeaux gâchés en mer, m'a envoyé
aussi les lissiers. Je les ai installés près d'ici,
pour un temps, où ils vont continuer de tisser
pour moi et pour la cour. Et s'il vous plaît de les
employer, ou bien s'il plaît à Jeanne, vous pouvez bien en disposer. Vous leur commandez le
dessin de votre choix, et ils font avec leurs doigts
et leurs broches l'image telle que vous la voyez.

— Eh bien ! c'est chose dite, ma cousine, j'accepte de bon cœur, déclara Mahaut. J'ai grand
désir d'orner un peu ma demeure, où je m'en-
nuie... et puisque messire de Conflans gouverne
mes lissiers d'Arras, le roi me pardonnera bien
de placer un peu vos lissiers de Naples sous ma
main. »

Clémence accueillit la pointe comme elle avait été dite, avec un demi-sourire. Entre elle et la comtesse d'Artois venait de se glisser cette complicité que fait naître un goût partagé pour le luxe et les œuvres de l'art humain.

Tandis que la reine continuait à montrer à Jeanne les tapisseries des murs, Mahaut se dirigea vers celles qui isolaient le lit royal, auprès duquel elle avait vu une coupe pleine de dragées.

« Le roi s'est-il entouré, lui aussi, de tapis à images ? demanda-t-elle à Clémence.

— Non, Louis n'a pas encore de tentures dans sa chambre. Il faut dire qu'il y dort bien peu.

— Cela prouve qu'il goûte fort votre compagnie, ma cousine, répliqua Mahaut d'un ton gaillard. D'ailleurs, quel homme n'apprécierait pas créature si bellement faite !

— J'avais craint, reprit Clémence avec l'impudeur tranquille des âmes pures, que Louis n'allât s'écarter de moi parce que j'étais grosse. Eh bien ! nullement. Et nous dormons fort chrétiennement !

— J'en suis aise, vraiment bien aise, dit Mahaut. Il continue de dormir avec vous ! Le bon époux que vous avez là. Le mien, que Dieu garde, n'en faisait pas autant. »

Elle était arrivée à côté de la table de chevet.

« Puis-je... ma cousine ? demanda-t-elle en désignant la coupe. Savez-vous que vous m'avez donné le goût des dragées ? »

En dépit des maux de dents dont elle souffrait toujours, elle prit une dragée et la croqua stoïquement.

« Oh ! celle-ci était faite d'une amande amère, j'en prends une autre. »

Tournant le dos à la reine et à Jeanne de Poitiers, qui se tenaient à moins de cinq pas, Mahaut
sortit de son aumônière une dragée fabriquée
chez elle et la glissa dans la coupe.

« Rien ne ressemble à une dragée comme une
autre dragée, se dit-elle, et s'il trouve celle-ci un
peu âcre à la langue, il pensera que c'est l'amer-
tume de l'amande. »

Elle revint vers les deux femmes.

« Allons, Jeanne, reprit-elle, dites maintenant
à Madame votre belle-sœur ce que vous avez sur
le cœur, et que vous vouliez tant lui faire savoir.

— En vérité, ma sœur, dit Jeanne un peu hési-
tante, je voulais vous confier ma peine. »

« Nous y sommes donc, pensa Clémence, je vais
savoir pourquoi elles sont venues. »

« Voici que mon époux est fort loin, continua
Jeanne, et cette absence m'inquiète l'âme. Ne
pourriez-vous obtenir du roi que Philippe revînt
pour le moment de mes couches ? C'est un temps
où l'on n'aime guère savoir son mari éloigné.
C'est faiblesse, peut-être ; mais on se sent comme
protégée, et l'on craint moins les douleurs si le
père est proche. Vous connaîtrez bientôt ce sentiment, ma sœur. »

Mahaut s'était gardée de mettre Jeanne dans
la confidence de son entreprise, mais elle se servait de sa fille pour en réaliser les préparatifs.
« Si le coup réussit, avait-elle imaginé, il conviendrait que Philippe fût à Paris au plus tôt
afin d'y saisir la régence. »

La requête de Jeanne était des mieux faites
pour émouvoir Clémence. Celle-ci, qui avait craint
qu'on ne lui parlât de l'Artois, se sentit presque
soulagée dès lors qu'il ne s'agissait que d'un ap-

pel à sa bonté. Elle promit de s'employer à ce que le souhait de Jeanne fût exaucé.

Jeanne lui baisa les mains, et Mahaut l'imita en s'écriant :

« Ah ! que vous êtes bonne dame ! Je disais bien à Jeanne qu'il n'y avait de recours qu'auprès de vous ! »

En sortant de Vincennes pour regagner Conflans, Mahaut pensait : « Voilà qui est fait... Maintenant, il nous faut attendre. Quand la mangera-t-il ? Ce soir peut-être, ou bien dans trois jours. A moins que Clémence... Elle n'est point friande de sucre ; mais pourvu qu'elle n'aille pas, par une envie de femme grosse, croquer justement celle-là ! Bah ! ce serait tout de même atteindre Louis, en lui ôtant du coup sa femme et son enfant... Il se peut aussi que le valet de la chambre renouvelle les dragées avant qu'elles soient épuisées. Alors le travail serait à refaire... »

« Vous êtes bien silencieuse, ma mère, s'étonna Jeanne. Cette entrevue s'est fort aimablement passée. En avez-vous quelque déplaisir ?

— Nullement, ma fille, nullement, répondit Mahaut. C'est une utile démarche que nous avons accomplie là. »

IX

LE MOINE EST MORT

Or, le même événement naturel qui, pour l'heure, à la cour de France, comblait de joie la reine et la comtesse de Poitiers, allait répandre drame et désastre dans un petit manoir, à dix lieues de Paris.

Marie de Cressay, depuis quelques semaines, avait le visage ravagé d'angoisse et de chagrin. Elle répondait à peine aux questions qu'on lui posait. Ses yeux bleu sombre s'étaient agrandis d'un cerne mauve ; une petite veine se dessinait sur sa tempe transparente. Il y avait de l'égarement dans son attitude.

« Ne va-t-elle pas nous refaire un mal de langueur, comme l'autre année ? disait son frère Pierre.

— Mais non, elle ne maigrit pas, répondait

dame Eliabel. Une impatience d'amour, voilà ce qui la tient ; et ce Guccio lui trotte par la tête. Il est grand temps de la marier. »

Mais le cousin de Saint-Venant, pressenti par les Cressay, avait répondu que les affaires de la ligue d'Artois l'occupaient trop, dans le moment, pour qu'il pût songer au mariage.

« Il a dû s'enquerir de l'état de nos biens, disait Pierre de Cressay. Vous verrez, ma mère, vous verrez ; nous regretterons peut-être d'avoir écarté Guccio. »

Le jeune Lombard continuait d'être reçu de temps à autre au manoir où l'on feignait de le traiter en ami, comme par le passé. La créance de trois cents livres courait toujours, ainsi que ses intérêts. D'autre part, la disette n'était pas terminée, et les Cressay n'avaient pas été sans s'apercevoir que le comptoir de Neauphle ne se trouvait pourvu de vivres que les jours, précisément, où Marie s'y rendait. Jean de Cressay, par un souci de dignité, demandait parfois à Guccio le compte de leurs dettes ; mais, une fois la note en main, il négligeait d'en acquitter la moindre partie. Et dame Eliabel laissait sa fille aller à Neauphle, une fois la semaine, mais la faisait maintenant accompagner de la servante et lui mesurait soigneusement le temps.

Les entrevues des époux clandestins étaient donc rares. Mais la jeune servante se montrait sensible à la générosité de Guccio et, de plus, Ricardo, le premier commis, ne lui était pas indifférent ; elle rêvait d'une position bourgeoise et s'attardait volontiers parmi les coffres et les registres, écoutant l'agréable tintement de l'argent dans les balances, tandis que le premier étage de la banque abritait des amours pressées.

Ces minutes, dérobées à la surveillance de la famille Cressay et aux interdits du monde, avaient d'abord été comme des îlots de lumière pour cet étrange ménage qui ne comptait pas encore dix heures de vie commune. Guccio et Marie vivaient sur le souvenir de ces instants-là pendant une semaine entière ; l'émerveillement de leur nuit de noces ne s'était pas démenti. Aux dernières rencontres, toutefois, Guccio avait noté un changement dans l'attitude de sa jeune femme. Lui aussi, comme dame Eliabel, avait remarqué chez Marie l'anxiété du regard, la tristesse, et l'ombre neuve qui lui mangeait les joues.

Il attribuait ces signes aux difficultés et aux menaces qui pesaient sur leur situation, fausse s'il en fût. Le bonheur dispensé à la petite mesure, et toujours enveloppé des haillons du mensonge, devient vite une torture. « Mais c'est elle-même qui s'oppose à ce que nous déchirions le silence ! se disait-il. Elle prétend que sa famille ne voudra jamais reconnaître notre union et me fera poursuivre. Et mon oncle est de même avis. Alors, que faire ? »

« De quoi vous inquiétez-vous, ma bien-aimée ? lui demanda-t-il le troisième jour de juin. Voici plusieurs fois que nous nous voyons et que vous paraissez moins heureuse. Que craignez-vous ? Vous savez bien que je suis là pour vous défendre de tout. »

Devant la fenêtre s'épanouissait un cerisier en fleur tout bruissant d'oiseaux et de guêpes. Marie se retourna, les yeux humides.

« De ce qu'il m'advient, mon doux aimé, répondit-elle, vous-même ne pouvez point me défendre.

« — Que vous arrive-t-il donc ?

— Rien que ce qui doit, par Dieu, me venir de vous », dit Marie en baissant la tête.

Il voulut s'assurer d'avoir bien compris.

« Un enfant ? murmura-t-il.

— Je craignais de vous l'avouer. J'ai peur que vous m'en aimiez moins. »

Il resta quelques secondes sans pouvoir prononcer un mot, parce qu'aucun ne lui venait aux lèvres. Puis, il lui prit le visage dans ses mains et la força de le regarder.

Comme presque tous les êtres destinés aux folies de la passion, Marie avait un œil légèrement plus petit que l'autre ; cette différence, qui ne nuisait en rien à sa beauté, s'accentuait dans l'état de trouble où elle se trouvait et rendait son expression plus émouvante.

« Marie, n'en êtes-vous pas heureuse ? dit Guccio.

— Oh ! certes je le serai, si vous l'êtes aussi.

— Mais Marie, c'est merveille ! s'écria-t-il. Voici qui nous comble, et nos épousailles vont devoir éclater au plein jour. Votre famille sera bien forcée de s'incliner, cette fois. Un enfant ! Un enfant ! »

Et il la regardait de la tête aux pieds, tout ébloui. Il se sentait homme, il se sentait fort. Pour un peu, il se fût penché à la fenêtre et il eût crié la nouvelle à tout le bourg.

Ce jeune homme, dans l'instant qu'une chose lui survenait, la voyait toujours sous la meilleure apparence. Il n'apercevait que le lendemain les ennuis qui pouvaient résulter de ses actes.

Du rez-de-chaussée monta la voix de la servante, qui leur rappelait l'heure.

« Que vais-je faire ? que vais-je faire ? dit Marie. Jamais je n'oserai l'annoncer à ma mère.

— Eh bien, c'est moi qui viendrai le lui dire.

— Attendez, attendez encore une semaine. »

Il la précéda dans l'étroit escalier de bois, lui présentant les mains pour l'aider à descendre, marche par marche, comme si elle était devenue éminemment fragile et qu'il dût la soutenir à chacun de ses pas.

« Mais je ne suis point encore gênée », dit-elle.

Il sentit ce que sa propre attitude avait de comique et eut un grand rire heureux. Puis il la prit dans ses bras et ils échangèrent un si long baiser qu'elle en perdit le souffle.

« Il me faut partir, il me faut partir », dit-elle.

Mais la joie de Guccio était contagieuse, et Marie s'en alla rassurée. Elle avait repris confiance, simplement parce que Guccio partageait son secret.

« Vous verrez, vous verrez la belle vie que nous allons avoir ! » lui dit-il en la reconduisant à la porte du jardin.

C'est un grand acte de sagesse à la fois et de pitié de la part du Créateur, que de nous avoir interdit la connaissance de l'avenir, alors qu'il nous a octroyé les délices du souvenir et les prestiges de l'espérance. A beaucoup de gens la découverte de ce qui les attend ôterait sans doute leur persévérance à vivre. Qu'auraient fait ces deux époux, ces deux amants, s'ils avaient su ce matin-là qu'ils ne se reverraient plus de leur existence entière?

Marie chanta tout le long du chemin de retour, entre les prés semés de boutons d'or et les ar-

bres fleuris. Elle voulut s'arrêter au bord de la
Mauldre pour y cueillir des iris.

« C'est pour orner notre chapelle, dit-elle.

— Madame, hâtez-vous, lui répondit la servante,
vous aurez des remontrances. »

Marie rentra au manoir, monta droit à sa chambre et, arrivée là, sentit le sol lui fuir sous les pieds.
Dame Eliabel se tenait au milieu de la pièce et
mesurait un surcot décousu au niveau de la
taille. Marie vit toute sa garde-robe, peu fournie
et dont elle avait élargi chaque pièce de la même
manière, étalée sur le lit.

« D'où viens-tu pour être si tardive ? » demanda
dame Eliabel froidement.

Marie ne dit pas un mot, et laissa choir les
iris qu'elle avait encore à la main.

« Je n'ai pas besoin que tu parles pour le
savoir, reprit dame Eliabel. Déshabille-toi.

— Ma mère !... fit Marie d'une voix étranglée.

— Dévêts-toi, je te le commande.

— Jamais », répliqua Marie.

Une gifle sonore répondit à son refus.

« Et maintenant, vas-tu te soumettre ? Vas-tu
avouer ton péché ?

— Je n'ai point péché ! répondit Marie avec
violence.

— Et ce nouvel embonpoint ? où l'as-tu pris ? »
cria dame Eliabel en montrant les vêtements.

Sa colère croissait d'avoir en face d'elle, non
plus une enfant docile à la volonté maternelle,
mais soudainement une femme qui lui tenait tête.

« Eh bien, oui, je vais être mère ; eh bien, oui,
c'est Guccio ! disait Marie, et je n'ai pas à en rougir,
car je n'ai point péché. Guccio est mon époux. »

Dame Eliabel n'accorda aucune foi au récit du

mariage de minuit. L'eût-elle admis pour véri-
dique que cela, d'ailleurs, n'eût rien changé. Marie avait agi contre la volonté familiale, contre
l'autorité paternelle exercée, au nom du père mort,
par la mère et le fils aîné. Une fille n'avait pas
le droit de disposer de soi. Et puis, ce moine
italien pouvait aussi bien être un faux moine.
Non, décidément, dame Eliabel ne croyait pas
à la mauvaise fable de ce prétendu mariage.

« A ma mort, vous entendez, ma mère, à ma
mort je ne confesserai rien d'autre ! » répétait
Marie.

La tempête dura une grande heure ; enfin dame
Eliabel enferma sa fille à double tour.

« Au couvent ! C'est au couvent des filles re-
penties que tu vas aller », lui lança-t-elle à travers
la porte.

Et Marie s'écroula en sanglots parmi ses robes
éparses.

Dame Eliabel dut attendre jusqu'au soir, pour
mettre ses fils au courant, qu'ils fussent rentrés
des champs. Le conseil de famille fut bref. La
colère saisit les deux garçons, et Pierre, le cadet,
se sentant presque fautif d'avoir jusque-là soutenu
Guccio, se montra le plus exalté et le plus porté
aux solutions de vengeance. On avait déshonoré
leur sœur, on les avait abominablement trahis
sous leur propre toit ! Un Lombard ! Un usurier !
Ils allaient le clouer par le ventre à la porte de
son comptoir.

Ils s'armèrent de leurs épieux de chasse, res-
sanglèrent leurs chevaux et coururent à Neauphle.

Or, ce soir-là, Guccio, trop agité pour trouver
le sommeil, marchait à travers son jardin. La

nuit était constellée d'étoiles, imprégnée de parfums ; le printemps d'Ile-de-France à son apogée
chargeait l'air d'une fraîche saveur de sève et
de rosée.

Dans le silence de la campagne, Guccio entendait avec plaisir ses semelles crisser... un pas fort,
un pas faible... sur les graviers, et sa poitrine
n'était pas assez large pour contenir sa joie.

« Et dire qu'il y a six mois, pensait-il, je gisais
sur ce mauvais lit d'Hôtel-Dieu... Comme vivre
est bon ! »

Il rêvait. Alors que son destin était déjà joué,
il rêvait à son bonheur futur. Il voyait déjà croître autour de lui une progéniture nombreuse, née
d'un merveilleux amour, et qui mêlerait dans ses
veines le libre sang siennois au noble sang de
France. Il allait être le grand Baglioni, chef d'une
puissante dynastie. Il songeait à franciser son
nom, à devenir Balion de Neauphle ; le roi lui
conférerait bien une seigneurie, et le fils que portait Marie, car il n'était pas douteux que ce fût
un garçon, serait un jour armé chevalier.

Il ne sortit de ses songes qu'en entendant une
galopade crépiter sur les pavés de Neauphle, et
puis s'arrêter devant le comptoir ; le heurtoir
de la porte résonna avec violence.

« Où est-il ce coquin, ce pendard, ce Juif ? »
cria une voix que Guccio reconnut aussitôt pour
celle de Pierre de Cressay.

Et comme on n'ouvrait pas assez vite, des manches d'épieux se mirent à cogner sur le battant
de chêne. Guccio porta la main à sa ceinture.
Il n'avait pas sa dague sur lui. Le pas de Ricardo,
pesant, descendait l'escalier.

« Voilà, voilà ! J'arrive ! » disait le premier

commis d'une voix d'homme mécontent d'être tiré de son sommeil.

Puis il y eut un bruit de verrous tirés, de barres qu'on glissait et, aussitôt après, les éclats d'une discussion furieuse dont Guccio ne saisit que des bribes.

« Où est ton maître ? Nous voulons le voir sur-le-champ ! »

Guccio ne percevait pas les réponses de Ricardo, mais la voix des frères Cressay reprenait, plus forte :

« Il a déshonoré notre sœur, ce chien, cet usurier ! Nous ne partirons point que nous n'ayons sa peau ! »

La discussion se termina par un grand cri. Ricardo venait certainement d'être frappé.

« Fais-nous de la lumière », ordonnait Jean de Cressay.

Et Guccio saisit encore la voix de Pierre qui lançait à travers la maison :

« Guccio ! où te caches-tu ? Tu n'as donc de courage que devant les filles ? Ose donc apparaître, lâche puant ! »

Des volets s'étaient entrouverts aux fenêtres de la place. Les villageois écoutaient, chuchotaient, ricanaient, mais nul d'entre eux ne se montra. Un scandale est toujours divertissant ; et le tour joué à leurs petits seigneurs, à ces deux garçons qui les traitaient de si haut et les requeraient sans cesse pour des corvées, leur procurait un certain plaisir. A choisir, ils préféraient le Lombard, sans aller toutefois jusqu'à risquer la bastonnade pour lui.

Guccio ne manquait pas de bravoure ; mais il lui restait un grain de cervelle. Il eût tiré peu de profit, n'ayant pas même un stylet au côté, d'affronter deux furieux en armes.

Tandis que les frères Cressay fouillaient la maison, et passaient leur colère sur les meubles, Guccio courut à l'écurie. La nuit lui porta encore la voix de Ricardo qui gémissait :

« Mes livres ! mes livres ! »

Guccio pensa : « Tant pis ; ils ne parviendront pas à faire sauter les coffres. »

La lune donnait assez de clarté pour lui permettre de passer en hâte une bride à son cheval ; il le sella à l'aveuglette, empoigna la crinière pour s'aider à monter, et s'échappa par la porte du jardin. Ce fut ainsi qu'il quitta sa banque.

Les frères Cressay, entendant son galop, se précipitèrent aux fenêtres de la maison.

« Il fuit, le couard, il fuit ! Il prend le chemin de Paris. Holà ! manants, sus à lui ; qu'on lui coupe la route ! »

Personne, évidemment, ne bougea.

Les deux frères alors surgirent du comptoir et se lancèrent à la poursuite de Guccio.

Mais la monture du jeune Lombard, un coursier de belle race, sortait fraîche de sa stalle. Les chevaux des Cressay étaient de pauvres bidets de campagne, qui avaient déjà fait leur journée. Vers Rennemoulins, l'un d'eux se mit à boiter si bas qu'il fallut l'abandonner ; et les deux frères durent monter sur le même cheval qui, de surcroît, étant cornard, produisait avec les naseaux un bruit de râpe à bois.

Si bien que Guccio eut le temps de gagner une large avance. Il arriva rue des Lombards à l'aurore, et sortit son oncle du lit.

« Le moine ? Où est le moine ? lui demanda-t-il.

— Quel moine, mon garçon, que t'arrive-t-il ?
Tu veux entrer dans les ordres, maintenant ?

— Mais non, oncle Spinello, ne vous moquez
point. Il me faut retrouver le moine qui a prononcé mon mariage. On me poursuit et je suis
en péril de la vie ! »

Il conta d'une traite son histoire ; il lui était
indispensable d'obtenir le témoignage du moine.

Spinello Tolomei l'écoutait, un œil ouvert, l'autre fermé. Il bâilla à deux reprises, ce qui irrita
Guccio.

« Ne t'agite pas tant. Le moine est mort, dit
enfin Tolomei.

— Mort ?... fit Guccio.

— Eh oui ! La sottise de te marier t'aura au
moins évité la sottise de mourir ; car si tu étais
allé, comme Mgr Robert le voulait, porter son
message aux alliés d'Artois, tu n'aurais sans doute
plus à t'inquiéter pour les petits-neveux que tu
me donnes sans que je t'y aie encouragé. Fra
Vicenzo a été occis du côté de Saint-Pol par les
gens de Thierry d'Hirson. Il avait sur lui cent
livres à moi. Ah ! Mgr Robert me coûte cher ! »

Tolomei sonna son valet pour qu'il lui appor-
tât un bassin d'eau tiède et ses vêtements.

« Mais comment vais-je faire, oncle Spinello ?
Comment prouver que je suis vraiment l'époux
de Marie ?

— Ce n'est pas là le plus important, dit Tolomei. Quand bien même ton nom et celui de ta
donzelle seraient proprement écrits sur un registre, cela ne changerait rien. Tu n'en aurais pas
moins épousé une fille noble sans le consen-
tement des siens. Les gaillards qui te poursui-
vent peuvent bien te tirer le sang du corps, ils

n'ont rien à risquer. Ils sont nobles, et ces gens-
là peuvent massacrer impunément. Ils auront au
plus à payer l'amende due pour la vie d'un Lombard, et qui n'est pas très élevée. Il est possible
même qu'on les complimente.

— Eh bien ! je me suis mis dans de beaux
linceuls.

— Tu peux le dire », fit Tolomei en plongeant
son visage dans l'eau.

Il s'ébroua une minute, se sécha avec une
toile.

« Allons, ce n'est pas encore aujourd'hui que
j'aurai le temps de me faire raser. Ah ! J'ai été
aussi sot que toi... »

Il était visiblement soucieux.

« Ce qu'il faut d'abord, c'est te mettre à couvert, reprit-il. Tu ne peux te cacher chez aucun
Lombard. Si tes poursuivants ont ameuté un
village, ils vont aussi bien requérir le prévôt de
Paris, et ne te trouvant pas ici, envoyer le guet
fouiller chez tous les nôtres. Je vais avoir bon
visage, devant les autres compagnies... Laisse-moi
penser... Ah si ! Il y a ton ami Boccace, le voyageur
des Bardi.

— Mais mon oncle, il est Lombard autant que
nous, et en outre, il est hors de France pour le
moment.

— Oui, mais il plaît à une dame qui est bourgeoise de Paris et dont il a eu un enfant sans
mariage. Elle est gentille personne, je le sais ;
et elle, au moins, elle comprendra ton affaire. Tu
vas aller lui demander gîte... Et puis, moi, je me
charge de recevoir tes mignons beaux-frères quand
ils se présenteront... à moins qu'ils ne se char-
gent de moi et que ce soir tu n'aies plus d'oncle.

— Oh ! non, vous, vous ne craignez rien. Ils sont violents, mais nobles. Ils auront le respect de votre âge.

— La belle armure que d'avoir les jambes faibles !

— Peut-être même qu'ils se seront lassés en route et qu'ils ne viendront pas. »

Tolomei émergea de la robe qu'il venait de passer par-dessus sa chemise de jour.

« Cela m'étonnerait fort, répondit-il. En tout cas, ils vont déposer plainte et nous faire procès... Il me faut alerter quelque personne haut placée qui arrête l'affaire avant qu'elle fasse trop grand scandale... Je puis m'adresser à Mgr de Valois ; mais il promet, promet, et ne tient jamais. Mgr Robert ? Autant prendre les hérauts de ville et leur faire annoncer la nouvelle par trompettes.

— La reine Clémence... dit Guccio. Elle m'aimait fort pendant le voyage...

— Je t'ai déjà répondu l'autre fois. La reine va s'adresser au roi, qui s'adressera au chancelier... qui va mettre tout le Parlement sur les dents. La belle cause que nous allons soutenir !

— Et pourquoi pas Bouville ?

— Ah ! voilà une bonne idée, s'écria Tolomei, la première que tu aies eue depuis des mois. Oui, Bouville ne brille pas par l'esprit, mais il a gardé du crédit d'avoir été le chambellan du roi Philippe. Il n'est pas compromis dans les intrigues et fait figure d'honnête homme...

— Et puis, il m'aime fort, dit Guccio.

— Oui, nous savons ! Décidément, tout le monde t'aime. Ah ! qu'un peu moins d'amour nous servirait bien ! Allez, va te cacher chez cette dame de ton ami Boccace et... de grâce ! qu'elle n'aille pas se mettre à t'aimer, elle aussi ! Moi, je vais courir à Vincennes pour parler à Bouville. Tu vois ; Bouville est probablement le seul homme qui ne me doive rien, et c'est justement à lui qu'il me faut demander quelque chose. »

X

LE DEUIL ÉTAIT A VINCENNES

Quand messer Tolomei, monté sur sa mule grise et suivi de son valet, pénétra dans la première cour du manoir de Vincennes, il fut surpris d'y trouver un grand rassemblement de gens de toutes sortes, officiers, serviteurs, écuyers, seigneurs, légistes et bourgeois ; mais leurs mouvements s'effectuaient dans un silence total, comme si hommes, bêtes et choses avaient cessé d'émettre le moindre bruit.

On avait couvert le sol d'épaisses jonchées de paille afin d'étouffer le roulement des chars et le son des pas. Nul n'osait parler sinon à voix basse.

« Le roi se meurt... » dit à Tolomei un seigneur de sa connaissance.

A l'intérieur du château, il semblait qu'il n'y

eût plus aucune défense, et les archers de garde laissaient entrer tout venant. Assassins ou voleurs eussent pu s'introduire dans ce désordre sans que personne songeât à les arrêter. On entendait murmurer

« L'apothicaire, faites place à l'apothicaire. »

Deux officiers de l'hôtel passaient, charriant un lourd bassin d'étain couvert d'un linge, et qu'ils allaient présenter aux physiciens.

Ceux-ci, qu'on reconnaissait à leurs costumes, tenaient conciliabule dans une antichambre. Les médecins portaient un camail brun par-dessus leur robe de bure, et sur la tête une petite calotte semblable à celle des moines ; les chirurgiens avaient la robe de toile à longues manches étroites et, de leur bonnet rond, partait une écharpe blanche qui leur couvrait les joues, la nuque et les épaules.

Tolomei se renseigna. Le roi la veille encore se portait fort bien, puisqu'il avait joué à la paume l'après-midi. Puis il était entré chez la reine, et peu après, on l'avait vu se plier en deux et se mettre à vomir. Dans la nuit, se tordant de douleur, il avait de lui-même demandé les sacrements.

Les physiciens n'étaient pas d'accord sur la nature de son mal ; les uns, se fondant sur les étouffements et les perles de conscience, assuraient que l'eau froide, bue après l'effort, avait déterminé cet accès ; les autres affirmaient que ce ne pouvait être l'eau qui avait brûlé les entrailles du roi au point « qu'il faisait le sang sous lui ».

Discutant plus qu'ils n'agissaient, et se neutralisant parce que trop nombreux au chevet d'un

si haut patient, ils ne conseillaient que des re-
mèdes bénins qui n'engageaient guère leur responsabilité.

Parmi les seigneurs de la cour, on se confiait
à mots couverts l'affaire de l'envoûtement, en prenant l'air d'en savoir plus long qu'on n'en disait.
Et puis, déjà on agitait d'autres problèmes. Qui
allait prendre la régence ? Certains regrettaient
que Mgr de Poitiers fût absent, d'autres au contraire s'en louaient. Le roi avait-il exprimé des
volontés formelles à ce sujet ? On l'ignorait. Mais
il avait appelé le chancelier pour lui dicter un
codicille complétant ses dispositions testamen-
taires.

Avançant à travers cette agitation feutrée, Tolomei put parvenir jusqu'au seuil même de la chambre où le souverain agonisait entre ses chambel-
lans, ses serviteurs, et les membres de sa famille
et de son Conseil.

Se hissant sur la pointe des pieds, le chef des
banques lombardes put apercevoir, par-dessus un
mur d'épaules, Louis X, le buste soutenu par des
coussins, et dont le visage creusé, réduit de moitié,
portait les stigmates de la fin. Une main à la poitrine, l'autre au ventre, les mâchoires serrées, il
gémissait.

On chuchota :

« La reine, la reine... le roi demande la reine... »

Clémence était assise dans la pièce voisine, entourée de ses dames de parage, du comte de
Bouville et d'Eudeline, la première lingère, dont
elle tenait la main. La reine n'avait pas dormi un
instant de toute la nuit. Le désespoir et l'insomnie lui étreignaient les tempes, tandis que Mgr de
Valois, s'agitant devant elle, lui disait :

« Ma chère, ma bonne nièce, il faut vous préparer au pire. »

« Mais j'y suis préparée, pensait Clémence, et n'ai point besoin de lui pour le savoir. Dix mois de bonheur était-ce donc tout ce à quoi j'avais droit ? Peut-être n'ai-je pas assez remercié Dieu de me les avoir accordés. Le pire n'est pas la mort, puisque nous nous retrouverons dans la vie éternelle. Le pire est pour cet enfant qui va naître dans cinq mois, que Louis n'aura pas connu, et qui ne connaîtra son père que lorsqu'il arrivera lui-même dans l'Au-delà. Pourquoi Dieu permet-il cela ? »

« Reposez-vous sur moi, ma nièce, de toutes les tâches et difficultés, et songez seulement que vous portez en vos flancs les espoirs du royaume. Votre état ne vous permet guère d'assumer la tâche de régente ; et puis les Français souffriraient mal d'être gouvernés par une main de femme étrangère. Blanche de Castille, me direz-vous ?... Certes, certes, mais elle était reine depuis un plus long temps. Nos barons n'ont point encore assez appris à vous connaître. Je dois vous décharger des soins du trône, ce qui ne me changera guère, au fond... »

Le chambellan, qui venait dire à la reine que le mourant la demandait, entra à cet instant ; mais Valois l'arrêta du geste, et poursuivit :

« Je n'ai guère de mérite à me proposer ; je suis seul à pouvoir utilement régenter. Et je saurai, soyez-en assurée, inspirer aux Français l'amour qu'ils doivent à la mère de leur prochain roi, si Dieu nous fait la grâce que vous attendiez un fils.

— Mon oncle, s'écria Clémence, Louis respire

encore. Veuillez plutôt prier pour qu'un miracle
le sauve, ou différez au moins vos projets jusqu'à
son trépas. Et plutôt que de me retenir ici, laissez-
moi regagner ma place, qui est auprès de sa
couche.

— Certes, ma nièce, certes ; mais il est quand
même des choses auxquelles il faut penser lorsqu'on est reine. Nous ne pouvons point nous
abandonner aux douleurs du commun. Louis, dans
son codicille, vous a fait tout à l'heure de grandes
donations ; il a généreusement attribué diverses
pensions, dont une même à Louis de Marigny,
qui vont un peu plus obérer le Trésor. Mais il
n'a pris nulle disposition relativement à la régence...

— Eudeline, ne m'abandonne pas », murmura
la reine en se levant.

Et à Bouville, tandis qu'elle se dirigeait vers
la chambre du roi :

« Mon ami Hugues, mon ami Hugues, je ne
puis pas y croire ; dites-moi que cela n'arrivera
pas ! »

C'en était trop pour le brave Bouville qui se
mit à sangloter.

« Quand je pense, quand je pense, disait-il, qu'il
m'a envoyé à Naples vous querir ! »

Plus étrange était l'attitude d'Eudeline. La lingère ne quittait pas la reine, qui s'adressait à elle
pour toutes choses. Devant l'agonie de l'homme
dont elle avait été la première maîtresse, qu'elle
avait aimé avec docilité, puis qu'elle avait haï
avec persévérance, Eudeline n'éprouvait rien. Elle
ne pensait ni à lui ni à elle-même. Il semblait
que ses souvenirs fussent morts avant celui qui
les avait créés. Toutes ses forces d'émotion étaient

tournées vers la reine, son amie. Et si Eudeline
souffrait en cet instant, c'était de la souffrance
de Clémence.

La reine traversa la chambre, s'appuyant d'un
côté au bras d'Eudeline, de l'autre au bras de
Bouville.

En apercevant ce dernier, Tolomei, toujours
dans l'encadrement de la porte, se rappela soudain ce qu'il était venu faire.

« En vérité, ce n'est guère le temps de parler
à Bouville, pensa-t-il. Et les deux Cressay sont
sans doute chez moi, à l'heure qu'il est. Ah !
cette mort tombe bien mal. »

A ce moment, il fut bousculé par une masse
puissante ; la comtesse Mahaut, manches retrous-
sées, se frayait un passage. Si grande était son
autorité que, en dépit de la disgrâce qui la frappait, nul ne s'opposa à son approche ni même ne
s'étonna de la voir là, venant reprendre sa place
de proche parente et de pair du roi.

Elle avait composé son visage pour lui donner
l'expression de la stupeur et de l'affliction.

Du seuil, elle murmura, mais bien distincte-
ment, pour que dix personnes au moins l'entendis-
sent :

« Deux en si peu de temps ! C'est vraiment
trop. Pauvre royaume ! »

Elle avança de son pas de soldat vers le groupe
où se tenaient Charles de la Marche, Robert
d'Artois et Philippe de Valois.

Mahaut tendit à Robert les deux mains, en lui
faisant signe des yeux qu'elle était trop émue
pour parler et que toute dissension, un tel jour,
s'oubliait. Puis, elle alla choir à genoux près du
lit royal et, d'une voix brisée, dit :

« Sire, je vous supplie de m'accorder pardon pour les peines que je vous ai causées. »

Louis la regarda ; ses gros yeux glauques étaient entourés des cernes profonds de la mort. On était justement en train de changer son bassin, au vu de tous ; dans cette inconfortable position, tâchant à garder empire sur lui-même, il prenait pour la première fois un peu de véritable majesté et quelque chose, enfin, de royal, qui lui avait manqué toute sa vie.

« Je vous pardonne, ma cousine, si vous vous soumettez au pouvoir du roi, répondit-il quand on lui eut glissé sous le siège un nouveau bassin.

— Sire, je vous en fais serment ! » répondit Mahaut.

Et plus d'une personne, dans l'assistance, fut sincèrement bouleversée de voir la terrible comtesse courber l'échine.

Robert d'Artois plissa les paupières et laissa tomber dans l'oreille de ses cousins :

« Elle ne jouerait pas mieux, si c'était elle qui l'avait tué. »

Le Hutin fut saisi d'un nouvel accès de coliques et porta les mains au ventre. Ses lèvres découvrirent ses dents serrées ; la sueur coulait de ses tempes et lui collait les cheveux le long des joues. Après quelques secondes, il dit :

« Est-ce donc cela souffrir ? Est-ce donc cela... »

XI

TOLOMEI PRIE POUR LE ROI

Lorsque Tolomei, au milieu de l'après-midi, rentra chez lui, son premier commis vint aussitôt
l'avertir que deux gentilshommes de campagne l'attendaient dans l'antichambre de son cabinet.

« Ils ont l'air fort courroucés. Ils sont là depuis
none, sans avoir rien mangé, et disent qu'ils ne
bougeront point qu'ils ne vous aient vu.

— Oui, je suis au courant, répondit Tolomei.
Fermez les portes et appelez dans mon cabinet
tous les gens de la maison, commis, valets, palefreniers et servantes. Et qu'on se hâte ! Tous en
haut. »

Puis il monta lentement l'escalier, prenant un
pas de vieillard accablé par le malheur ; il s'arrêta
un moment sur le palier, écoutant le bran-

le-bas que ses ordres provoquaient à travers la
banque ; il attendit que les premières têtes fussent apparues au bas des marches, et enfin
pénétra dans son antichambre en se tenant le
front.

Les frères Cressay se levèrent, et Jean, le barbu,
marchant à lui, s'écria :

« Messer Tolomei, nous sommes... »

Tolomei l'arrêta d'un geste du bras.

« Oui, je sais ! dit-il d'une voix gémissante ; je
sais qui vous êtes, et je sais aussi ce que vous
venez me dire. Mais ceci n'est rien auprès de
ce qui nous afflige. »

Comme l'autre voulait poursuivre, il se retourna
vers la porte et dit au personnel qui commençait
à se montrer :

« Entrez, mes amis, entrez tous dans mon cabinet ; venez entendre l'affreuse nouvelle de la
bouche de votre maître ! Allons, entrez, mes
petits. »

La pièce fut bientôt pleine. Les frères Cressay,
s'ils avaient voulu tenter le moindre mouvement,
eussent été en un instant désarmés.

« Mais enfin, messer, que cela signifie-t-il ? de-
danda Pierre que l'impatience gagnait.

— Un instant, un instant, répondit Tolomei.
Tout le monde doit savoir. »

Les frères Cressay, subitement inquiets, pen-
sèrent que le banquier allait dévoiler publique-
ment leur déshonneur. C'était plus qu'ils n'en
souhaitaient.

« Tout le monde est là ? dit Tolomei. Alors, mes
amis, écoutez-moi. »

Et puis rien ne vint. Il y eut un long silence.
Tolomei s'était caché le visage dans les mains.

Quand il se découvrit la face, son seul œil ouvert était rempli de larmes.

« Mes petits amis, mes enfants, prononça-t-il enfin, c'est chose trop affreuse ! Notre roi... oui, notre bien-aimé roi vient de trépasser. »

Sa voix s'étranglait dans sa gorge ; il se frappait la poitrine comme s'il était responsable de la mort du souverain. Il profita de l'effet de surprise pour commander :

« Alors, à genoux, tous, et prions pour son âme. »

Lui-même, lourdement, se laissa choir au sol, et tout son personnel l'imita.

« Voyons, messires, à genoux ! » dit-il d'un ton de reproche aux frères Cressay qui, saisis par la nouvelle et complètement ahuris devant ce spectacle, étaient seuls demeurés debout.

« *In nomine patris...* » commença Tolomei.

Alors éclata un concert de lamentations stridentes.

C'étaient les servantes italiennes de la maison qui se mettaient à former un chœur de pleureuses selon la tradition de leur pays.

« *Un uomo cosi buono, un signore tanto generoso ! Il cielo se lè preso !* hurlait la cuisinière.

— *Ahimè, ahimè ! Tanto buono, tanto generoso !* » reprenaient les filles d'office et de buanderie.

La jupe de dessus retroussée pour s'en couvrir la tête, elles se balançaient de gauche à droite tendant vers le plafond leurs mains jointes.

« *Era come un padre pernoi tutti ! Era il protettore degli umili.*

— *Il nostro padre, il nostro protettore, l'abbia-mo perduto. Ahimè ! Ahimè* * *!* »

Tolomei s'était relevé et circulait à travers son personnel.

« Allez, priez, priez bien ! Oui, il était pur, oui, il était saint ! Des pécheurs, voilà ce que nous sommes, d'incurables pécheurs ! Priez aussi, jeunes gens, disait-il en appuyant sur la tête des frères Cressay. Vous aussi, la mort vous agrippera. Repentez-vous, repentez-vous ! »

La représentation dura un gros quart d'heure. Puis Tolomei ordonna :

« Fermez les portes, fermez les guichets. C'est jour de deuil : on ne fera point commerce ce soir. »

Les serviteurs sortirent, reniflant leurs larmes. Lorsque le premier commis passa près de lui, Tolomei lui glissa :

« Surtout ne payez rien. L'or aura peut-être changé de cours demain... »

Les femmes hurlaient encore en descendant l'escalier.

« Il était le bienfaiteur du peuple. Jamais, jamais plus nous n'aurons un roi aussi bon ! *Ahimè...* »

Tolomei laissa retomber la tenture qui fermait l'entrée de son cabinet.

« Et voilà, dit-il, et voilà ! Ainsi passent les gloires du monde. »

Les deux Cressay, ahuris et matés, se taisaient.

---

* — Un homme si bon, un seigneur si généreux ! Le Ciel l'a pris.

— Hélas, hélas ! Si bon, si généreux !

— Il était notre père à tous ! Le protecteur des humbles.

— Notre père, notre protecteur, nous l'avons perdu. Hélas, hélas !

Leur drame personnel se trouvait noyé dans le malheur du royaume. En outre, ils éprouvaient la fatigue d'une nuit de chevauchée, et dans quel équipage !

Leur arrivée à Paris, au petit matin, montés à deux sur leur bidet cornard, et habillés des vieux vêtements qu'ils usaient aux champs, avait soulevé le rire sur leur passage. Escortés d'une escouade de gamins criards, ils s'étaient perdus dans le dédale de la Cité. Ils se sentaient le ventre creux, et leur assurance, sinon leur ressentiment, avait sérieusement faibli devant la somptuosité de la demeure Tolomei. Cette richesse partout répandue, ce personnel nombreux, bien vêtu et bien gras, ces tapisseries, ces meubles sculptés, ces émaux, ces ivoires... « Au fond, pensaient-ils chacun à part soi et sans oser le confier à l'autre, au fond, nous avons peut-être eu tort de nous montrer si chatouilleux sur le sang ; une fortune comme celle-là vaut bien un rang de seigneur. »

« Allons, mes bons amis ! dit Tolomei avec une familiarité qu'autorisait maintenant leur prière en commun ; venons-en à cette pénible affaire, puisqu'il faut vivre, après tout, et que le monde continue malgré ceux qui s'en vont. Vous voulez me parler de mon neveu, bien sûr. Le bandit, le scélérat ! M'avoir fait cela, à moi, qui l'ai comblé de bontés ! Le misérable garçon sans vergogne ! Me fallait-il cette douleur de plus aujourd'hui... Je sais, je sais tout ; il m'a fait parvenir un message ce matin. Vous voyez un homme bien éprouvé. »

Il se tenait devant eux, un peu voûté, les yeux à terre, dans l'attitude du pire accablement.

« Et lâche avec cela, reprit-il. Lâche ; j'ai la honte de l'avouer, mes jeunes sires. Il n'a pas osé affronter ma colère ; il est parti pour Sienne d'un seul trait. Il doit être loin maintenant. Alors, mes amis, qu'allons-nous faire ? »

Il avait l'air de s'en remettre à eux, presque de leur demander conseil. Les deux frères le regardaient, se regardaient. Rien ne se passait comme ils l'avaient imaginé.

Tolomei les observait à travers sa paupière presque close. « C'est bon, se disait-il ; maintenant que je les ai en main, ils ne sont plus dangereux ; il ne s'agit que de trouver le moyen de les renvoyer chez eux sans rien leur avoir donné. »

Il se redressa brusquement.

« Mais je le déshérite ! Vous entendez, je le déshérite... Tu n'auras pas un sou de moi, petit misérable ! cria-t-il en agitant la main dans la vague direction de Sienne. Rien ! Jamais ! je laisserai tout aux pauvres et aux couvents !... Et s'il me retombe sous la main, je le livre à la justice du roi. Hélas, hélas ! le roi est mort ! »

Les deux autres se disposaient presque à le consoler.

Tolomei les jugea assez préparés pour qu'il pût leur prêcher la raison. Tous leurs reproches, tous leurs griefs, il les acceptait, il les approuvait ; mieux même, il les devançait. Mais maintenant, que faire ? A quoi servirait un procès, bien coûteux pour des gens sans fortune, alors que le coupable était hors d'atteinte et aurait avant six jours passé les frontières ? Etait-ce cela qui réhabiliterait leur sœur ? Le scandale ne nuirait qu'à eux-mêmes. Tolomei allait se dévouer et s'efforcer de réparer le mal commis ; il avait de hautes et puissantes relations ; il était ami de Mgr de Valois, de Mgr d'Artois, de messire de Bouville... On trouverait à Marie un lieu où elle mettrait au jour son péché, dans le plus grand secret, et l'on verrait ensuite à lui donner un état. Un couvent, pour un temps, pourrait peut-être abriter son repentir. Qu'on fît confiance à Tolomei ! N'avait-il pas prouvé aux Cressay qu'il était homme de cœur en faisant reporter cette créance de trois cents livres qu'il avait sur eux...

« Si j'avais voulu, votre château serait à moi depuis deux ans. L'ai-je voulu ? Non. Vous voyez bien. »

Les deux frères, déjà fort ébranlés, comprirent aisément la menace que, d'un ton si paterne, le banquier faisait peser sur eux.

« Entendez-moi ; je ne vous réclame rien », ajouta-t-il.

Mais dans une affaire de justice, forcément, il serait obligé de faire état de ses comptes, et les juges pourraient s'étonner que les Cressay eussent accepté tant de dons de la part de Guccio.

Allons ! ils étaient de braves jeunes gens ; ils allaient se diriger sur une tranquille auberge, pour y passer la nuit après s'être bien restaurés, et sans se soucier de régler la dépense. Ils attendraient là que Tolomei se soit employé pour eux ; il pensait, dès le lendemain, leur proposer des mesures apaisantes pour leur honneur. Avant tout, éviter le scandale...

Pierre et Jean de Cressay se rendirent à ses raisons et même, en prenant congé, lui étreignirent les mains avec quelque effusion.

Après leur départ, Tolomei se laissa tomber sur une chaise. Il était las, et soufflait dans ses grosses joues sombres.

« Et maintenant, pourvu que le roi meure ! » se dit-il.

Car lorsqu'il avait quitté Vincennes, Louis X respirait encore ; mais nul n'estimait qu'il eût beaucoup d'heures devant lui.

XII

QUI SERA RÉGENT ?

Louis X Hutin expira dans la nuit du 4 au 5 juin 1316, un peu après minuit.

Pour la première fois, depuis trois cent vingt-neuf ans, un roi de France mourait sans laisser un héritier mâle auquel la couronne pût être dévolue.

Mgr de Valois, d'ordinaire si empressé à régler les pompes royales, qu'elles fussent nuptiales ou funèbres, se désintéressa complètement des derniers honneurs à rendre à son neveu.

Il appela le grand chambellan Mathieu de Trye, et lui donna pour toute instruction :

« Faites ainsi que la dernière fois ! »

Lui-même s'occupa de convoquer, dès les premières heures de la matinée, un Conseil, non pas à Vincennes, où une telle assemblée eût été forcément présidée par la reine, mais à Paris, au palais de la Cité.

« Laissons notre chère nièce à sa douleur, déclara-t-il, et n'ajoutons rien qui puisse nuire à son précieux fardeau. »

Ce Conseil, par sa composition, ressemblait plus à une réunion de famille qu'à une chambre de gouvernement. Y siégeaient Charles de la Marche, frère du défunt, Charles de Valois et Louis d'Evreux, frères de Philippe le Bel, Louis de Clermont, petit-fils de saint Louis, Mahaut d'Artois et Robert d'Artois, respectivement petite-nièce et arrière-petit-neveu de saint Louis, et Philippe de Valois, fils de Charles, auxquels avaient été adjoints le chancelier, l'archevêque de Sens et le comte de Bouville afin que fussent représentés la Justice, l'Eglise et les grands serviteurs de l'Hôtel royal.

Valois n'avait pu éviter de convier la comtesse Mahaut, qui se trouvait, avec lui-même, le seul pair du royaume présent à Paris. Ainsi la meurtrière de celui dont il s'agissait de régler, dans l'immédiat, la succession, était là, réintroduite dans ses prérogatives et se délectant secrètement de sa victoire.

Si Valois attendait une opposition de la part de Mahaut, il ne la redoutait pas. Il se pensait entièrement appuyé par le reste de la parentèle. De plus, le chancelier Mornay était sa créature ; l'archevêque Marigny avait partie liée avec lui ; quant à Bouville, on connaissait son manque d'initiative et sa docilité.

En vérité, Valois se félicitait que Philippe de Poitiers et le connétable Gaucher de Châtillon fussent tous deux absents. Avec eux, les choses eussent été moins faciles. Mais pour l'heure, ils étaient à Lyon où ils s'employaient à rameuter les cardinaux.

De la sorte, Mgr de Valois se sentait les coudées franches, trop franches même... Il s'assit au haut bout de la table, dans le fauteuil royal. Encore qu'il imposât à son visage l'expression du chagrin, il ne parvenait pas à masquer la satisfaction qu'il éprouvait à occuper ce siège.

« Nous sommes assemblés, dans le deuil qui nous frappe, commença-t-il, pour décider de choses urgentes qui sont le choix des deux curateurs au ventre qui doivent veiller en notre nom sur la grossesse de la reine Clémence, et aussi la désignation qu'il vous faut faire d'un régent du royaume, car il ne peut y avoir rupture de l'exercice de justice et de gouvernement. Je vous demande votre conseil. »

Il employait des expressions de souverain, et se posait manifestement en détenteur des attributions royales. Son attitude choqua son demi-frère, le comte d'Evreux, dont la rigueur d'âme et la droiture de pensée, les soucis moraux, le respect des institutions s'accommodaient mal de tels procédés. C'était par l'effet d'une nature inquiète et scrupuleuse que Louis d'Evreux n'avait jamais pris de participation active au pouvoir. Mais il observait, jugeait ; et il désapprouvait presque tous les actes accomplis depuis un an sous l'inspiration de Valois.

Comme ce dernier, se répondant à lui-même, proposait que la nomination des curateurs fût remise aux soins du régent, d'Evreux, avec la brutalité soudaine qu'ont parfois les gens réfléchis, l'interrompit.

« Souffrez, mon frère, que nous parlions aussi, et ne liez donc pas, s'il se peut, toutes questions ensemble. L'aménagement de la régence est une chose dont il existe précédents aux annales du royaume, et qui veut d'être débattue devant le Conseil des pairs. La désignation des curateurs en est une autre, qui relève des proches membres de la famille, et dont nous pouvons trancher ici, en l'assistance du chancelier. Avez-vous des noms à avancer ? »

Surpris par cette intervention, et plus encore par le ton déterminé sur lequel elle était faite, Charles de Valois répondit, pour gagner du temps :

« Et vous, mon frère, qui proposez-vous ? »

Le comte d'Evreux se passa les doigts sur les paupières.

« Je pense, dit-il, qu'il nous faut choisir des hommes dont le passé soit sans reproche, assez mûris pour que nous puissions nous en remettre à leur prudence, et qui aient donné de grandes preuves de loyauté et de dévouement envers nos rois. J'aurais incliné à vous nommer le sénéchal de Joinville, si son grand âge, qui approche cent ans, ne le rendait bien infirme... Mais je vois ici messire de Bouville qui fut grand chambellan du roi Philippe notre frère, lui fit service en tout avec une fidélité qu'il nous faut louer. Il a conduit en France la reine Clémence qui lui montre de l'attachement... »

Valois respira mieux. Si l'homélie de Louis d'Evreux n'avait d'autre fin que d'appeler Bouville à la fonction de curateur, il se sentait rassuré. Il se hâta d'accorder cette satisfaction à son frère et approuva hautement la proposition, affirmant que Bouville était tout juste la personne à laquelle il avait lui-même pensé. Chacun, autour de la table, acquiesça, qui par parole, qui d'un mouvement de front ou d'un simple murmure.

Le gros Bouville se leva, les traits bouleversés. Il recevait la consécration de longues années de dévouement à la couronne.

« C'est grand honneur, c'est grand honneur, Messeigneurs, déclara-t-il. Je fais serment de veiller sur le ventre de Madame Clémence, et de la protéger contre toute attaque ou entreprise, et de la défendre avec ma vie. Mais puisque Mgr d'Evreux a cité messire de Joinville, je souhaiterais que le sénéchal fût nommé auprès de moi, ou si lui ne le peut, son fils, afin que l'esprit de Mgr saint Louis soit présent à cette garde, en son serviteur, comme l'esprit du roi Philippe, mon maître... en moi, son serviteur. »

Rarement Bouville avait prononcé une si longue phrase en Conseil, et c'étaient choses un peu subtiles pour lui que celles qu'il voulait exprimer. Ses derniers mots manquaient de clarté ; mais tout le monde comprit son intention et le comte d'Evreux le remercia.

« A présent, dit Valois, nous pouvons aborder l'aménagement de la régence... »

Il fut à nouveau interrompu, mais cette fois par Bouville, qui s'était relevé.

« Auparavant, Monseigneur...

— Qu'y a-t-il, Bouville ? demanda Valois d'un air bienveillant.

— Auparavant, Monseigneur, il me faut vous prier très humblement de quitter le siège où vous êtes, car c'est le siège du roi ; or, nous devons penser que le roi, pour l'heure, est dans le sein de Madame Clémence. »

Un silence suivit, pendant lequel on entendit le glas sonné par les cloches de Paris.

Valois lança vers Bouville un regard furibond ; mais il comprit qu'il lui fallait obéir et même feindre la bonne grâce. « Voilà bien les sots, se disait-il en changeant de place, et l'on a tort de leur accorder confiance. Ils ont des idées qui ne viendraient à personne. »

Les assistants, sur la droite, eurent tous à reculer d'un cran. Bouville fit le tour de la table, attira un tabouret, et vint s'asseoir, les bras croisés, dans l'attitude du gardien fidèle, un peu en retrait du siège vide qui allait être l'objet de tant de convoitises.

Valois adressa un signe à Robert d'Artois, lequel, parlant assis, prononça quelques mots à peine courtois qui signifiaient en clair : « Assez de niaiseries, passons aux choses sérieuses ! » Le temps, selon lui, était trop mesuré pour qu'on le perdît en formalités, et ce qui se déciderait là ne pourrait qu'être ratifié par la Chambre des pairs. Tout à trac, il proposa, comme s'imposant d'évidence, de remettre la régence à Charles de Valois.

« On ne change pas de main sur la charrue au milieu du sillon, dit-il. Nous savons bien que c'est Charles qui a gouverné toute cette année, au nom de notre pauvre cousin Louis que nous allons porter en terre. Et, auparavant, il fut toujours au Conseil du roi Philippe, auquel il évita plus d'une erreur et pour lequel il gagna plus d'un combat. Il est l'aîné de la famille ; il a bientôt trente ans d'habitude du labeur de roi... »

Deux personnes seulement paraissaient ne pas approuver cette déclaration. Louis d'Evreux pensait à la France ; Mahaut d'Artois pensait à elle-même.

« Si Charles est régent, se disait-elle, ce n'est pas lui qui rappellera le maréchal de Conflans et lèvera le séquestre de mon comté. Il est dans le jeu de Robert comme Robert dans le sien. Peut-être me suis-je trop hâtée d'expédier Louis, et aurais-je dû attendre le retour de mon gendre. Je devrais parler pour lui ; mais ne vais-je pas attirer les soupçons ? »

Evreux intervint, s'adressant de nouveau à Valois.

« Charles, si notre frère était venu à mourir pendant que notre neveu Louis était encore en enfance, qui aurait été régent de droit ?

— Forcément moi, répondit Valois en souriant comme si l'on apportait de l'eau à son moulin.

— Parce que vous étiez le premier frère. N'est-ce pas, alors, en droit, à notre neveu Philippe de Poitiers d'occuper la régence ? »

Mahaut reprit espoir. Et Charles de la Marche ayant cru habile de dire que son frère Philippe ne pouvait être partout à la fois, au conclave et à Paris, elle se lança dans le débat.

« Lyon n'est pas au pays du Grand Khan ! On en revient en peu de jours... Nous ne sommes point assez nombreux pour décider dans l'instant d'une chose si grave. Des pairs du royaume, je ne vois ici que deux sur douze... Aucun duc-évêque, aucun comte-évêque ; le connétable n'est pas là, ni le duc de Bourgogne... »

A ce nom, Robert d'Artois, Philippe de Valois et Louis de Clermont sursautèrent. Le duc Eudes de Bourgogne, le nouveau duc et sa mère Agnès de France, voilà bien ceux qu'on redoutait, dont il fallait se hâter de devancer les menées [17] ! L'enfant de Clémence était encore à naître, en admettant qu'il naquît jamais, et l'on verrait seulement alors s'il était mâle ou femelle. Eudes de Bourgogne était donc fondé à réclamer la régence, et contre Poitiers aussi bien que contre Valois, au nom de sa nièce, la petite Jeanne de Navarre, fille de Marguerite. Or, on savait bien que Jeanne était bâtarde !...

« Mais vous n'en savez rien, Robert ! s'écria Louis d'Evreux ; les présomptions ne sont pas certitude, et Marguerite a emporté son secret dans la tombe où vous l'avez mise. »

D'Evreux avait lancé ce « vous » dans une acception vague et générale ; mais le géant, qui avait toutes raisons de se sentir personnellement visé, pria d'Evreux d'éclaircir son dire, ou bien de se rétracter.

« Oubliez-vous, Louis, que vous avez épousé ma propre sœur, et dois-je attendre de mon plus proche parent qu'il se fasse la trompette de mes calomniateurs ? Vous ne parleriez pas autrement si vous étiez payé par les Bourgogne. »

L'incident tournait au plus mal, et l'on put craindre un instant que les deux beaux-frères ne se demandassent gage de bataille.

Une fois de plus le scandale de la tour de Nesle et ses séquelles divisaient la famille de France, et même à présent, menaçaient de diviser le royaume.

L'archevêque Marigny fit entendre alors la voix de l'Eglise et, prêchant la conciliation, invita les adversaires au respect de ce qu'il appela « la trêve de deuil ». A son sens, il ne fallait pas attribuer d'intention infamante aux paroles de

Mgr d'Evreux, et le mot « tombe » dans sa bouche désignait certainement la forteresse de Château-Gaillard où Marguerite de Bourgogne avait été recluse, « comme dans une tombe », et où elle était morte.

Louis d'Evreux n'approuva ni n'infirma. Quant à Robert, il grommela :

· « Après tout, Château-Gaillard est encore moins distant d'Evreux qu'il ne l'est de mon château de Conches... »

La porte s'ouvrit alors sur Mathieu de Trye qui annonça qu'il avait à faire une grave communication. On le pria de parler.

« Tandis qu'on embaumait le corps du roi, dit le chambellan, un chien, qui s'était introduit sans qu'on y prêtât garde, a léché des linges qui avaient servi à ôter les entrailles.

— Et alors ? demanda Valois. Est-ce là votre grande nouvelle ?

— C'est que, Messeigneurs, ce chien est aussitôt tombé en douleurs, s'est mis à geindre et à se tordre, et que le voilà pris du même mal que le roi ; peut-être même est-il déjà mort maintenant. »

De nouveau, on n'entendit rien d'autre que le son du glas répercuté depuis Notre-Dame. La comtesse Mahaut n'avait pas bronché, mais une atroce anxiété lui descendait au cœur. « Vais-je être découverte par la gloutonnerie d'un chien ! » se disait-elle.

« Vous pensez donc, Mathieu, qu'il y a eu poison... prononça enfin Louis d'Evreux.

— Il va falloir faire enquête, et diligemment menée », dit Charles de Valois.

Bouville, qui pendant toute la discussion s'était tenu silencieux auprès du siège royal, se leva.

« Messeigneurs, si l'on a voulu attenter à la vie du roi, il est à redouter qu'on ne veuille aussi atteindre celle de l'enfant à naître. Je demande une garde de six écuyers en armes, et à mes ordres, de jour et de nuit, pour veiller à la porte de la reine, et l'interdire à toute main criminelle. »

On lui répondit d'agir comme il l'entendait. Peu après le Conseil s'ajourna au lendemain, sans avoir rien décidé de précis. Valois espérait, dans les prochaines heures, avancer ses affaires.

Sur la porte, Mahaut rejoignit Louis d'Evreux et lui dit à voix basse :

« Allez-vous envoyer un chevaucheur à Philippe, pour l'instruire de ce qui vient de se passer ?

— Certes, ma cousine, je vais le faire, et je veux avertir également notre tante Agnès.

— Alors, je vous laisse agir, puisque nous sommes d'accord en tout. »

Bouville, en sortant de la séance, fut abordé par Spinello Tolomei qui l'attendait dans la cour du Palais et venait lui demander protection pour son neveu.

« Ah ! ce cher garçon, ce bon Guccio ! répondit Bouville. Voilà le genre d'homme qu'il me faut pour m'aider à veiller sur la reine. Prompt d'esprit, vif de membres... Madame Clémence goûtait bien sa compagnie. C'est pitié qu'il ne soit pas écuyer, ni même bachelier. Mais après tout, il est des occasions où vertu vaut mieux que haute naissance...

— C'est tout juste ce que pense la demoiselle qui l'a voulu en mariage, dit Tolomei.

— Ah ! il s'est donc marié ! »

Le banquier tenta d'expliquer brièvement les

ennuis de Guccio. Mais Bouville écoutait mal. Il était pressé, il devait retourner sur-le-champ à Vincennes, et tenait à son idée de placer Guccio dans la garde de la reine. Tolomei souhaitait pour son neveu une charge moins voyante et plus éloignée. Si l'on avait pu le mettre à couvert auprès de quelque haute autorité ecclésiastique, un cardinal par exemple...

« Eh bien, alors, mon ami, envoyons-le à Mgr Duèze ! Dites à Guccio qu'il me vienne trouver à Vincennes, d'où je ne puis plus bouger désormais. Il me contera bien son affaire... Tenez, j'y songe même ! il pourrait me rendre grand service en allant de ce côté-là. Je cherchais à qui confier une mission qui demande du secret... Oui, faites donc qu'il se hâte ; je l'attends. »

Quelques heures plus tard, trois chevaucheurs, par trois itinéraires différents, galopaient vers Lyon.

Le premier chevaucheur, passant par « le grand chemin », c'est-à-dire par Essonnes, Montargis et Nevers, portait sur sa cotte les armes de France. Ce chevaucheur était chargé d'une lettre par laquelle Charles de Valois annonçait à Philippe de Poitiers la mort de son frère, l'informait d'autre part de la nécessité devant laquelle il se trouvait, lui, Valois, pressé par les circonstances et désigné par les vœux du Conseil, d'exercer immédiatement la régence.

Le second chevaucheur, sous les marques du comte d'Evreux, et prenant « le chemin plaisant » par Provins et Troyes, avait ordre de s'arrêter d'abord à Dijon, chez le duc de Bourgogne, avant de poursuivre vers le comte de Poitiers ; les messages qu'il allait délivrer n'avaient pas tout à fait la même teneur que celui de Charles de Valois.

Enfin, sur « le chemin court », par Orléans, Bourges et Roanne, courait Guccio Baglioni, chevaucheur d'occasion, dissimulé sous la livrée du comte de Bouville. Officiellement, Guccio était dépêché au cardinal Duèze ; mais sa mission le conduisait aussi auprès du comte de Poitiers auquel il devait faire savoir, oralement, qu'il y avait présomption de poison sur la mort du roi et que la protection de la reine réclamait grande vigilance.

Les destins de la France étaient sur ces trois routes.

NOTES HISTORIQUES
ET
RÉPERTOIRE BIOGRAPHIQUE

NOTES HISTORIQUES

1. — A cette époque, la messe qu'on célébrait à bord des navires, au pied du grand mât, était une messe particulière dite *messe aride* parce que sans consécration ni communion. Cette forme liturgique inaccoutumée était probablement due à la crainte que le mal de mer ne fît rejeter l'hostie.

2. — Le *marc* était une mesure de poids équivalente à 8 onces, soit une demi-livre, c'est-à-dire approximativement 244 grammes.

3. — L'organisation des établissements hospitaliers était généralement inspirée des statuts de l'Hôtel-Dieu de Paris.

L'hôpital était dirigé par un ou deux proviseurs, choisis par les chanoines de la cathédrale de la ville. Le personnel hospitalier se recrutait parmi des volontaires, après examen sévère par les proviseurs. A l'Hôtel-Dieu de Paris, ce personnel se composait de quatre prêtres, quatre clercs, trente frères et vingt-cinq sœurs. On n'admettait pas de maris et femmes parmi les volontaires. Les frères avaient la même tonsure que les Templiers ; les sœurs

avaient les cheveux coupés comme les religieu-
ses.

La règle imposée aux « hospitaliers » était d'une
très grande sévérité. Frères et sœurs devaient pro-
mettre de garder la chasteté et de vivre dans le renoncement à tout bien. Aucun frère ne pouvait com-
muniquer avec une sœur sans la permission du
« maître » ou de la « maîtresse » nommés par les
proviseurs pour diriger le personnel. Il était interdit
aux sœurs de laver la tête ou les pieds des frères ;
ces services n'étaient rendus qu'aux malades alités.
Des châtiments corporels pouvaient être appliqués
par le maître, et aux sœurs par la maîtresse. Aucun
frère ne pouvait sortir seul dans la ville, ni avec un
compagnon qui ne fût pas désigné par le maître ;
ce règlement était le même pour les sœurs. Le personnel hospitalier n'avait pas le droit de recevoir
des hôtes. Frères et sœurs ne pouvaient prendre que
deux repas par jour, mais devaient offrir aux malades de la nourriture aussi souvent qu'ils en avaient
besoin. Chaque frère devait coucher seul, vêtu d'une
tunique de toile ou de laine et d'un caleçon ; les
sœurs également. Si un frère ou une sœur, à l'heure
de sa mort, était trouvé en possession d'un bien ou
d'un objet quelconque qu'il n'avait pas montré au
maître ou à la maîtresse pendant le cours de sa vie,
on ne devait faire pour lui aucun service religieux,
et il était enseveli comme un excommunié.

L'entrée de l'hôpital était interdite à toute personne ayant avec elle un chien ou un oiseau.

Tout malade se présentant à l'hôpital était d'abord
examiné par le « chirurgien de la porte » qui l'ins-
crivait sur un registre. Puis on lui attachait au bras
un petit billet sur lequel étaient inscrits son nom et
la date de son arrivée. Il recevait la communion ;
ensuite on le portait au lit, et il était traité « comme
le maître de la maison ».

L'hôpital devait toujours être pourvu de plusieurs
robes de chambre fourrées et de plusieurs paires de

chaussures, également fourrées, pour le « réchauffe-
ment » des malades.

Après guérison, et de crainte de rechute, le malade
restait sept jours pleins à l'hôpital.

Les médecins, qu'on appelait *mires*, ou *physiciens*,
portaient, ainsi que les chirurgiens, un costume dis-
tinctif. Les médicaments étaient préparés à l'apo-
thicairerie de l'hôpital selon les indications du mire
et du chirurgien.

L'hôpital accueillait non seulement les personnes
atteintes de maladies passagères, mais aussi des infirmes.

La comtesse Mahaut d'Artois fit, à l'hôpital d'Arras, une fondation de dix lits garnis de matelas,
oreillers, draps et couvertures, pour y coucher dix
pauvres infirmes. Dans l'inventaire de cet hôpital,
on trouve plusieurs grandes cuves de bois servant
de baignoires, des bassins « pour mettre en dessous
les pauvres en leur lit », de nombreuses cuvettes,
plats à barbe, etc... La même comtesse d'Artois fonda
également l'hôpital d'Hesdin.

4. — Les seigneurs souverains de Viennois portaient le nom de « dauphin » à cause du dauphin
qui ornait leur casque et leurs armes, d'où la désignation de Dauphiné donnée à l'ensemble de la région sur laquelle ils exerçaient leur souveraineté, et
qui comprenait : le Grésivaudan, le Roannez, le
Champsaur, le Briançonnais, l'Embrunois, le Gapen-
çais, le Viennois, le Valentinois, le Diois, le Tricas-
tinois, et la principauté d'Orange.

Au début du XIVᵉ siècle la souveraineté était exercée par la troisième Maison des dauphins de Vienne,
celle de la Tour du Pin. Ce ne fut qu'à la fin du
règne de Philippe VI de Valois, par les traités de
1343 et 1349, que le Dauphiné fut cédé par Hum-
bert II à la couronne de France, sous condition que
le fils aîné des rois de France prendrait désormais
le titre de dauphin.

5. — Par extension de sens du mot latin *hostis*, ennemi, le terme d'*ost* servait à désigner une armée et particulièrement l'armée royale.

6. — Dans les premiers jours de juillet 1315, Louis X rendit deux ordonnances sur les Lombards. La première stipulait que les « casaniers », autrement dit résidents, italiens devraient payer un sou à la livre sur leurs marchandises, moyennant quoi ils seraient exemptés d'ost, de chevauchée et de toute subvention militaire. C'était donc là une taxe exceptionnelle de cinq pour cent.

La deuxième ordonnance, en date du 9 juillet, constituait un règlement général sur la résidence et le commerce des marchands italiens. Toutes les transactions d'or et d'argent en masse ou en billon, toutes les ventes, tous les achats, échanges de marchandises diverses étaient soumis à un impôt variant de un à quatre deniers par livre selon les régions et selon que le commerce était exercé sur les foires ou hors des foires. Les Italiens n'étaient plus autorisés à avoir de domicile fixe que dans les quatre villes de Paris, Saint-Omer, Nîmes, et La Rochelle. Il ne semble pas que cette dernière disposition ait jamais été scrupuleusement appliquée, mais les dérogations durent être d'assez bon rapport, soit pour les villes, soit pour le Trésor. Des courtiers, nommés par l'administration royale, étaient chargés de surveiller les activités commerciales des Lombards.

7. — La légende qui voulait que les Capétiens descendissent d'un riche boucher de Paris fut répandue en France par la *Chanson de geste de Hugues Capet*, pamphlet composé aux premières années du XIVe siècle et vite oublié, sauf par Dante et plus tard par François Villon.

Dante accuse également Hugues Capet d'avoir déposé l'héritier légitime et de l'avoir enfermé dans un cloître. C'est là une confusion entre la fin des Mérovingiens et la fin des Carolingiens ; ce fut en effet le dernier roi de la première dynastie, Chilpéric III, qui fut enfermé dans un couvent. Le dernier descendant légitime de Charlemagne, à la mort de Louis V le Fainéant, était le duc Charles de Lorraine, qui voulut disputer le trône à Hugues Capet ; et ce n'est pas au cloître que le duc de Lorraine finit, mais dans une prison où l'avait jeté le duc de France.

Lorsque au XVIᵉ siècle François Iᵉʳ, se faisant lire sur le conseil de sa sœur *La Divine Comédie*, entendit le passage concernant les Capétiens, il arrêta le lecteur, s'écria : « Ah ! le méchant poète qui honnit ma maison ! », et refusa d'écouter davantage.

8. — En fait, étant entré le 1ᵉʳ novembre 1301 dans Florence que déchiraient les dissensions entre Guelfes et Gibelins, Charles de Valois livra la ville aux vengeances des partisans du pape. Puis vinrent les décrets de bannissement. Dante, gibelin notoire et inspirateur de la résistance, avait fait partie, l'été précédent, du conseil de la Seigneurie ; puis, ayant été envoyé en ambassade à Rome, il y avait été retenu en otage. Il fut condamné par un tribunal florentin, le 27 janvier 1302, à deux ans d'exil et 5 000 livres d'amende, sous l'accusation fausse de prévarication dans l'exercice de sa charge. Le 10 mars suivant, on lui fit un nouveau procès et il fut condamné cette fois à être brûlé vif. Heureusement pour lui, il n'était pas à Florence, non plus qu'à Rome d'où il était parvenu à s'échapper ; mais jamais plus il ne devait revoir sa patrie. On comprend aisément qu'il ait gardé à Charles de Valois et, par extension, à tous les princes français, une rancune tenace.

9. — Un certain nombre d'études et de témoignages incitent à conclure que l'ordre des Templiers survécut, de façon occulte et diffuse, pendant plusieurs siècles. On cite les noms de grands-maîtres

secrets jusqu'au XVIII° siècle. Il paraît à tout le moins
évident que les Templiers, dans les années qui sui-
virent immédiatement la destruction de leur ordre,
cherchèrent à se regrouper clandestinement. Jean de
Longwy, neveu de Jacques de Molay, qui avait juré
de venger la mémoire de son oncle sur les terres du
comte de Bourgogne (c'est-à-dire de Philippe de Poitiers), fut le chef de cette organisation.

10. — Particulièrement révéré en Artois, Cambrésis
et Hainaut, saint Druon était né en 1118 à Epinoy
qui dépendait alors du diocèse de Tournai avant de
dépendre de celui d'Arras. Saint Druon vint au jour
grâce à une césarienne pratiquée sur le corps de sa
mère déjà morte. Montrant dès ses jeunes années
de grandes dispositions pour la piété, il fut en butte
à la cruauté des autres enfants qui le traitaient d'as-
sassin de sa mère. Se croyant coupable, il s'adonna
à toutes les pratiques d'expiation, afin de se racheter de ce crime involontaire. A dix-sept ans, il
renonça à la vie seigneuriale, distribua les biens
considérables qu'il avait hérités, et s'engagea comme
berger chez une veuve nommée Elisabeth Lehaire,
au village de Sebourg, dans le comté de Hainaut, à
treize kilomètres de Valenciennes. Il avait si grand
amour des bêtes et les soignait si bien que tous les
habitants du village lui demandèrent de garder leurs
brebis en même temps que celles de la veuve Lehaire. C'est alors que les anges commencèrent à
garder son troupeau pendant qu'il allait écouter la
messe...

Puis il entreprit le pèlerinage de Rome, y prit goût,
et le fit neuf fois de suite. Mais il dut renoncer aux
voyages, souffrant d'une « rupture des intestins »,
mal qu'il supporta, paraît-il, pendant quarante ans,
refusant de se laisser panser. En dépit de l'assez
mauvaise odeur qu'il répandait, ses vertus attirèrent
à lui nombre de pénitents de la région. Il demanda
qu'on lui construisît contre l'église de Sebourg une

logette d'où il pouvait avoir vue sur le tabernacle, et fit vœu de n'en pas sortir jusqu'à la fin de sa vie. Il tint fidèlement ce vœu, même le jour où l'église flamba, et la cabane aussi ; et l'on vit bien qu'il était saint lorsque le feu l'épargna.

Il mourut le 16 avril 1189. De plusieurs lieues à la ronde, le peuple accourut en larmes pour lui baiser les pieds et emporter quelques morceaux du misérable vêtement qui le couvrait. Ses parents, les seigneurs d'Epinoy, voulurent rapporter son corps dans son village natal, mais le char où l'on avait placé la dépouille s'immobilisa à la sortie de Sebourg, et tous les chevaux que l'on amena en renfort furent incapables de le faire avancer d'un pas. On fut donc obligé de laisser le corps du saint là où il était mort.

Sa célébrité fut grandement accrue par la guérison miraculeuse du comte de Hainaut et de Hollande, lequel, souffrant horriblement de la gravelle, fit le pèlerinage de Sebourg et, à peine s'était-il agenouillé devant le tombeau de saint Druon, pour réciter une prière, rejeta « trois pierres de la grosseur d'une noix ».

La fête du saint est encore traditionnellement célébrée le lundi de la Pentecôte, en l'église paroissiale et au puits de Saint-Druon, à Carvin-Epinoy.

11. — Le dernier enfant et seul fils de Mahaut, prénommé Robert comme son cousin, n'avait alors que seize ans. Il n'eut le temps de jouer aucun rôle appréciable dans les événements de cette période ; il devait en effet mourir avant d'avoir atteint dix-huit ans, en 1317. Son corps fut d'abord inhumé aux Cordeliers de Paris, puis transféré à Saint-Denis. Le gisant de Robert d'Artois que l'on voit à Saint-Denis n'est donc pas, précisons-le pour nos lecteurs, celui de notre héros — lequel devait être enterré à Londres — mais celui du fils de Mahaut.

12. — La date exacte du second mariage de Louis X

est controversée. Certains auteurs le fixent au
3 août, d'autres au 13, ou même au 19. De même
pour la date du sacre, qui varie selon les textes entre
les 19, 21 et 24 août. Le recueil des ordonnances des
rois de France, qui ne fut imprimé qu'au XVIIIᵉ siècle, et dont la chronologie est loin d'être certaine,
tendrait à établir que le roi se trouvait le 3 août
à Reims, le 6 et le 7 à Soissons et le 18 à Arras.
Or, étant donné que Louis X avait pris l'oriflamme
à Saint-Denis le 24 juillet, il paraît matériellement
impossible, si brève qu'ait été l'expédition de Flandre, qu'il ait eu le temps de revenir de l'*ost boueux*
et d'arriver dans la région champenoise avant le
10 août.

Nous avons retenu la date du 13 août, donnée par
le Père Anselme, comme la plus plausible, car, le
sacre devant toujours avoir lieu un dimanche ou
un jour de grande fête religieuse, nous pensons que
Louis X fut couronné, soit le 15 août, soit le dimanche 18 août ; nous savons d'autre part que les
fêtes données à cette occasion s'étendaient sur plusieurs jours, ce qui explique assez bien le flottement des dates.

13. — Toute la famille d'Hirson était pourvue de
charges et de sinécures dans l'administration de
l'Artois ou la maison de Mahaut. Outre Thierry, le
chancelier, outre les deux demoiselles de parage pré-
nommées Mahaut et Béatrice, Pierre d'Hirson était
bailli d'Arras, Guillaume d'Hirson était panetier,
autrement dit intendant de la comtesse, et l'on dé-
nombre encore trois d'Hirson, neveux de Thierry,
qui avaient des fonctions à la cour d'Artois.

14. — La fortune de Clémence de Hongrie, aussi
bien en terres qu'en bijoux, et constituée essentiellement par des dons de Louis X, était énorme. Pendant la brève durée de leur mariage, Clémence de
Hongrie ne reçut pas moins de quatorze châteaux

dont certains comptaient parmi les plus importantes demeures royales.

15. — La licorne, animal légendaire, n'exista jamais que sur les blasons, fresques et tapisseries. Néanmoins son unique corne passait pour avoir un pouvoir de contrepoison universel. En fait, ce qu'on vendait à prix très élevé, sous le nom de corne de licorne, était la défense du narval, ou licorne de mer, dont on « touchait » les mets pour y déceler la présence d'une substance vénéneuse.

16. — Tous les ateliers de tapisserie signalés en Europe, et notamment en Italie et en Hongrie, à la fin du Moyen Age, avaient été fondés par des lissiers venus de Flandre ou d'Artois. La ville d'Arras est considérée comme ayant été le centre de cette industrie naissante au début du XIVᵉ siècle. Or, cette prospérité est expressément due à l'initiative de la comtesse Mahaut et aux encouragements qu'elle prodigua aux métiers qui constituaient la richesse de sa province.

Lorsque les tapissiers parisiens commencèrent à faire concurrence aux ateliers d'Artois, Mahaut ne marqua aucune préférence exclusive, et on la vit s'adresser également aux artisans de Paris.

L'inventaire des biens de la reine Clémence est un des premiers où l'on trouve mentionnés « huit tapis à images et à arbres, de la devise d'une chasse ».

17. — Eudes de Bourgogne venait de succéder à son frère Hugues V mort à Argilly au début de mai 1315 et enterré à Cîteaux, le 12 mai.

RÉPERTOIRE BIOGRAPHIQUE

ANJOU-SICILE (Marguerite d'), comtesse de Valois (vers 1270-31 décembre 1299).
Fille de Charles II d'Anjou, dit le Boiteux, et de Marie de Hongrie. Première épouse de Charles de Valois. Mère du futur Philippe VI, roi de France.

ARTOIS (Mahaut, comtesse de Bourgogne puis d') (?-27 novembre 1329).
Fille de Robert II d'Artois. Epousa (1291) le comte palatin de Bourgogne, Othon IV (mort en 1303). Comtesse-pair d'Artois par jugement royal (1309). Mère de Jeanne de Bourgogne, épouse de Philippe de Poitiers, futur Philippe V, et de Blanche de Bourgogne, épouse de Charles de France, futur Charles IV.

ARTOIS (Robert III d') (1287-1342).
Fils de Philippe d'Artois et petit-fils de Robert II d'Artois. Comte de Beaumont-le-Roger et seigneur de Conches (1309). Epousa Jeanne de Valois, fille de Charles de Valois et de Catherine de Courtenay (1318). Pair du royaume par son comté de Beaumont-le-Roger (1328). Banni du royaume (1332), se réfugia à la cour d'Edouard III d'Angleterre. Blessé mortellement à Vannes. Enterré à Saint-Paul de Londres.

AUXOIS (Jean d').
Evêque de Troyes, puis d'Auxerre (de 1353 à 1359).

Baglioni (Guccio) (vers 1295-1340).

Banquier siennois apparenté à la famille des Tolomei. Tenait, en 1315, comptoir de banque à Neauphle-le-Vieux. Epousa secrètement Marie de Cressay. Eut un fils, Giannino (1316) échangé au berceau avec Jean Ier le Posthume. Mort en Campanie.

Bar (Edouard, comte de) (1285-?).

Fils d'Henri III, comte de Bar (mort en 1302). Epousa en 1310 Marie de Bourgogne, sœur de Marguerite. Beau-frère de Louis X, d'Eudes de Bourgogne et de Philippe de Valois.

Béatrice de Hongrie (vers 1294-?).

Fille de Charles-Martel d'Anjou. Sœur de Charobert, roi de Hongrie, et de Clémence, reine de France. Epouse du dauphin de Viennois Jean II de La Tour du Pin.

Boccacio da Chellino ou Boccace.

Banquier florentin, voyageur de la compagnie des Bardi. Eut d'une maîtresse française un fils adultérin (1313) qui fut l'illustre poète Boccace, auteur du *Décaméron*.

Boniface VIII (Benoît Caëtani), pape (vers 1215-11 octobre 1303).

D'abord chanoine de Todi, avocat consistorial et notaire apostolique. Cardinal en 1281. Fut élu pape le 24 décembre 1294 après l'abdication de Célestin V. Victime de l'« attentat » d'Anagni, il mourut à Rome un mois plus tard.

Bourbon (Louis, sire, puis duc de) (vers 1275-1342).

Fils aîné de Robert, comte de Clermont (1256-1318), et de Béatrix, fille de Jean, sire de Bourbon. Petit-fils de Saint Louis. Grand chambrier de France à partir de 1312. Duc et pair en septembre 1327.

Bourgogne (Agnès de France, duchesse de) (vers 1268-1325).

Dernière des onze enfants de Saint Louis. Mariée en 1273 à Robert II de Bourgogne. Mère de Hugues V et d'Eudes IV, ducs de Bourgogne ; de Marguerite, épouse de Louis X Hutin, et de Jeanne, dite la Boiteuse, épouse de Philippe VI de Valois.

Bourgogne (Blanche de) (vers 1296-1326).

Fille cadette d'Othon IV, comte palatin de Bourgogne, et de

Mahaut d'Artois. Mariée en 1307 à Charles de France, troisième fils de Philippe le Bel. Convaincue d'adultère (1314), en même temps que Marguerite de Bourgogne, fut enfermée à Château-Gaillard, puis au château de Gournay, près de Coutances. Après l'annulation de son mariage (1322), elle prit le voile à !'abbaye de Maubuisson.

BOURGOGNE (Eudes IV, duc de) (vers 1294-1350).

Fils de Robert II, duc de Bourgogne, et d'Agnès de France, fille de saint Louis. Succède en mai 1315 à son frère Hugues V. Frère de Marguerite, épouse de Louis X Hutin, de Jeanne, épouse de Philippe de Valois, futur Philippe VI, de Marie, épouse du comte de Bar, et de Blanche, épouse du comte Edouard de Savoie. Marié le 18 juin 1318 à Jeanne, fille aînée de Philippe V (morte en 1347).

BOUVILLE (Hugues III, comte de) (?-1331).

Fils de Hugues II de Bouville et de Marie de Chambly. Chambellan de Philippe le Bel. Il épousa (1293) Marguerite des Barres dont il eut un fils, Charles, qui fut chambellan de Charles V et gouverneur du Dauphiné.

CAETANI (Francesco) (?-mars 1317).

Neveu de Boniface VIII et créé cardinal par lui en 1295. Impliqué dans une tentative d'envoûtement du roi de France (1316). Mort en Avignon.

CAUMONT.

Membre de la ligue d'Artois en révolte contre la comtesse Mahaut.

CHARLES de France, comte de la Marche, puis CHARLES IV, roi de France (1294-1er février 1328).

Troisième fils de Philippe IV le Bel et de Jeanne de Champagne. Comte apanagiste de la Marche (1315). Succéda sous le nom de Charles IV à son frère Philippe V (1322). Marié successivement à Blanche de Bourgogne (1307), Marie de Luxembourg (1322), et Jeanne d'Evreux (1325). Mourut à Vincennes, sans héritier mâle, dernier roi de la lignée des Capétiens directs.

CHARLES- MARTEL, ou CARLO-MARTELLO, roi titulaire de Hongrie (vers 1273-1296).

Fils aîné de Charles II d'Anjou, dit le Boiteux, roi de Sicile, et de Marie de Hongrie. Neveu de Ladislas IV, roi de Hongrie, et prétendant à sa succession. Roi titulaire de Hongrie de 1291 à sa mort. Père de Clémence de Hongrie, seconde épouse de Louis X, roi de France.

CLÉMENCE de Hongrie, reine de France (vers 1293-12 octobre 1328).

Fille de Charles-Martel d'Anjou, roi titulaire de Hongrie et de Clémence de Habsbourg. Nièce de Charles de Valois par sa première épouse, Marguerite d'Anjou-Sicile. Sœur de Charles-Robert, ou Charobert, roi de Hongrie, et de Béatrice, épouse du dauphin Jean II. Epousa Louis X Hutin, roi de France et de Navarre, le 13 août 1315, et fut couronnée avec lui à Reims. Veuve en juin 1316, elle mit au monde, en novembre 1316, un fils, Jean Ier. Mourut au Temple.

CLÉMENT V (Bertrand de Got ou Goth), pape (?-20 avril 1314).

Né à Villandraut (Gironde). Fils du chevalier Arnaud-Garsias de Got. Archevêque de Bordeaux (1300). Elu pape (1305) pour succéder à Benoît XI. Couronné à Lyon. Il fut le premier des papes d'Avignon.

COLONNA (Jacques) (?-1318).

Membre de la célèbre famille romaine des Colonna. Créé cardinal en 1278 par Nicolas III. Principal conseiller de la cour romaine sous Nicolas IV. Excommunié par Boniface VIII en 1297 et rétabli dans sa dignité de cardinal en 1306.

COLONNA (Pierre) (?-1326).

Neveu du précédent. Créé cardinal par Nicolas IV en 1288. Excommunié par Boniface VIII en 1297 et rétabli dans sa dignité de cardinal en 1306. Mort en Avignon.

CONFLANS (Hugues de).

Maréchal de Champagne, nommé par Louis X, le 15 mai 1316, au gouvernement de l'Artois.

CORNILLOT.

Sergent de la comtesse Mahaut d'Artois, arrêté en compagnie de Denis d'Hirson par les « alliés » d'Artois le 27 septembre 1315, et exécuté le jour même.